LE BAGNE

ŒUVRES DE JEAN GENET *(L'ARBALÈTE)*

NOTRE-DAME-DES-FLEURS (1944) *L'Arbalète n° 8*
CHANTS SECRETS (1945) *1 lithographie d'Emile Picq*
MIRACLE DE LA ROSE (1946) *éd. originale reliée*
LES BONNES (1947) *L'Arbalète n° 12*
NOTRE-DAME-DES-FLEURS (1948)
POÈMES (1948) *21 photographies de l'auteur*
MIRACLE DE LA ROSE (1956)
LE BALCON (1956) *1 lithographie d'Alberto Giacometti, éd. originale*
LES NÈGRES (1958) *couverture de la main de Genet, éd. originale*
L'ATELIER D'ALBERTO GIACOMETTI — LES BONNES
L'ENFANT CRIMINEL — LE FUNAMBULE (1958) *éd. originale*
LES NÈGRES (1960) *33 photographies du spectacle*
LE BALCON (1960) *avec un avertissement*
LES PARAVENTS (1961) *éd. originale*
LE BALCON (1962) *édition définitive* « Comment jouer le Balcon »
POÈMES (1962)
LES BONNES (1963) *précédé de* « Comment jouer les Bonnes »
LES NÈGRES (1963) *33 photographies* « Pour jouer les Nègres »
L'ATELIER D'ALBERTO GIACOMETTI (1963) *33 photographies*
LE CONDAMNÉ À MORT *suivi de* POÈMES
L'ENFANT CRIMINEL — LE FUNAMBULE (1966)
LE FUNAMBULE AVEC L'ENFANT CRIMINEL (1983)
LETTRES À OLGA ET MARC BARBEZAT (1988)
« ELLE » (1989)
SPLENDID'S (1993)
LE BAGNE (1994)

A PARAÎTRE

LES FOUS
LA FÉE

JEAN GENET

LE BAGNE

MARC BARBEZAT
L'ARBALÈTE

PRÉSENTATION DU BAGNE

Plus qu'un lieu d'élection, le bagne constitue sans doute le sanctuaire de l'imaginaire de Jean Genet. Voyageur de l'espace carcéral, Genet aura, avec une ferveur obstinée, gravi tous les échelons de la hiérarchie pénitentiaire, de la Santé à la Centrale, des maisons de correction pour adolescent aux antichambres des camps de concentration, sans parvenir au sacre suprême : la déportation à Cayenne, à la Guyane ou à l'île du Diable. Le 17 juin 1938, au grand regret de Genet qui rêvait encore à « ce point définitif où conduit la réprobation des hommes », le bagne était officiellement aboli.

Journal du voleur *exprime son affliction : « Cependant que j'écris ce livre les derniers forçats rentrent en France. Les journaux nous l'annoncent. L'héritier des rois éprouve un vide pareil si la république le prive du sacre... En moi-même la destruction du bagne correspond à une sorte de châtiment du châtiment : on me châtre, on m'opère de l'infamie... Les Centrales bandent plus roide, plus noir et sévère, la grave et lente agonie du bagne était, de l'abjection, un épanouissement plus parfait ». Et Genet ajoute dans une note : « Son abolition me prive à ce point qu'en moi-*

même et pour moi seul, secrètement, je recompose un bagne, plus méchant que celui de la Guyane».

Les deux textes qui sont ici édités pour la première fois témoignent de cet effort de «recomposition» des fêtes secrètes du bagne qui hanta Genet durant environ quinze ans, auquel il consacra des milliers de pages, usant et épuisant tour à tour les formes du poème en prose, du récit, du film, du théâtre, sans qu'il ne réussisse ni à le mener à publication ni à l'abandonner totalement. Du grand chant consacré au bagne qui fut peut-être l'œuvre à laquelle Genet fut le plus attaché, demeurent quelques somptueux vestiges : les fragments d'une grande pièce, entreprise en 1958, qui devait être aussi importante que Les Paravents *et un scénario de film fascinant, rédigé vraisemblablement entre 1952 et 1954, où, mieux que nulle part ailleurs, Genet exprime son idée du cinéma.*

Pour un livre non publié, Le Bagne *connaît une histoire éditoriale passablement mouvementée : proposé à Gaston Gallimard sous ce titre en décembre 1949 contre une substantielle avance («Pourquoi diable m'avoir tant dit que mes livres étaient beaux, si vous ne consentez pas à les payer plus cher qu'ils ne valent ? lui écrit Genet), l'ouvrage fait l'objet d'un premier contrat en sep-tembre 1950. Il est désigné alors comme une pièce de théâtre intitulée* Les Hommes.

Deux ans plus tard, Le Bagne *est devenu un « récit » que Genet vend pour 25 000 francs à Bernard Grasset. Au même moment cependant, un article de* Paris-Presse *annonce que l'écrivain envisage d'écrire un scénario pour « un film à la gloire du bagne » qu'il tournerait lui-même, à Rome. Et pour rassurer Gaston Gallimard, Genet lui écrit, en octobre 1954 qu'il travaille encore aux* Hommes, *mais qu'il préfère le titre* Le Bagne.

En février 1955, un autre article de presse indique que le scénario est achevé et que le rôle principal doit être confié à Pierre Joly, dédicataire du Balcon. *Genet remet le même mois aux édi-tions Gallimard le manuscrit de ce scénario des-tiné à être publié sous un nouveau titre :* Sous le chapeau de paille. *Trois semaines plus tard, Genet propose une version du même texte, hâti-vement maquillé en récit, aux éditions Amiot-Dumont qui lui versent un acompte.*

L'année suivante, sous l'appellation de « ro-man », la copie du même manuscrit trafiqué, confié auparavant aux éditions L'Arbalète, est vendu à Jean-Claude Fasquelle. Entre-temps des agents de cinéma et producteurs s'étaient inté-

7   LE BAGNE

ressés à la réalisation du film, mais sans y donner suite.

L'aventure du scénario s'achève à la fin de 1956 lorsque Genet, totalement immergé dans l'écriture du Balcon, des Nègres et des Paravents, se déprend de son projet et prie Gaston Gallimard de ne pas lui « jouer le mauvais tour de publier Le Bagne, et de veiller à ce qu'il ne soit pas édité ailleurs. De cette série de tentatives qui n'aboutissent ni à un livre, ni à un film, reste cependant un texte. Paradoxalement, ce texte que la recherche d'expédients amena Genet à présenter comme un récit destiné à être lu, constitue bien une œuvre cinématographique, pensée et construite en fonction de la force de l'image filmée. Sa recherche d'une écriture visuelle porte la marque de l'invention créatrice de Genet, dans l'usage des ressources propres à un art qui l'a toujours attiré. Le Bagne aurait pu devenir un film saisissant de Bunuel. En ce sens, Le Bagne demeure à coup sûr l'un des meilleurs scénarios de Genet qui en écrivit, tout au long de sa vie, cinq ou six et ne réalisa, en 1950, qu'un court-métrage de vingt-cinq minutes, Un Chant d'amour.

Délaissé durant un peu plus d'un an, Le Bagne revient cependant en force dans les projets de

Genet dès le début de 1958. Il est alors sur le point de terminer la première version des Para-vents *et entreprend déjà la rédaction d'une pièce qui reprend sous une forme radicalement diffé-rente du scénario, le thème et l'intrigue du* Bagne.

C'est à cette époque également que Genet conçoit le plus ambitieux des projets littéraires qu'il ait nourri : celui d'une œuvre immense, globalement intitulée La Mort, *constituée d'une part par un grand récit ou poème en prose (*La Nuit*), et d'autre part par un cycle de sept pièces de théâtre composées de façon similaire. De ce cycle inspiré en partie de la lecture des tragédies grecques,* Les Paravents *devaient former le pre-mier volet,* Le Bagne, *le second.*

A la rédaction du Bagne, *Genet travailla durant des années avec un acharnement dont témoignent les lettres qu'il envoyait à son agent américain Bernard Frechtman. En octobre 1959, alors que la création des* Nègres *remportait un triomphe à Paris, Genet, réfugié en Grèce pour trouver le calme, lui écrivait : « Je continue* Le Bagne... *C'est dur. Je voudrais presque être mort, par moments. Tellement c'est difficile. Je m'endors, épuisé, après avoir écrit une page ou deux. Dès la première scène, il faudrait que* toute *la pièce soit déjà* absolument, *totalement déroulée* dans *l'esprit du spectateur. Que le spectateur aille alors*

à la rencontre de lui-même et non de péripéties
extérieures. Le remue-ménage anecdotique est là
pour masquer la pauvreté du dramaturge ».
   Et encore, quelque temps plus tard : « Il faut
que je recommence Le Bagne. *Je me suis trompé.*
J'ai pris au départ un ton trop digne. Les facultés
fabulatrices me conduisent vers des prolonge-
ments attendus, presque conventionnels, banale-
ment sociaux. Je crois que j'ai trouvé le ton. Mais
je n'ai plus le courage de m'attaquer à la pièce.
Il faut tout refaire. D'un bout à l'autre. (...) S'il
est réussi, Le Bagne *sera ma meilleure pièce. Je*
resterai dix ans sans écrire ».

   Genet n'achèvera jamais la pièce. Son dernier
manuscrit fera partie de ceux qu'il détruisit en
mars 1964 après le suicide d'Abdallah en décla-
rant qu'il renonçait à la littérature. En vérité, il
semble bien, si l'on considère l'état d'avancement
du texte dans les autres manuscrits qui ont pu
être retrouvés chez son éditeur ou son traducteur,
que Le Bagne *ait été, à cette date, déjà délaissé*
et que Genet ait passé près de six ans à récrire
les mêmes premières scènes.
   Une sorte de malédiction reste ainsi attachée à
cette œuvre qui devait être centrale et qui ne
donna lieu qu'à un ensemble de textes épars, à

un scénario abandonné et à une pièce inachevée. Les raisons de cet échec ne sont pas aisées à déterminer. *Il convient de remarquer cependant que le projet de réaliser une œuvre consacrée au bagne n'intervient dans la vie de Genet qu'à l'époque où il traverse ses crises les plus graves : en 1949, au moment où, après avoir bénéficié d'une grâce présidentielle, il échappait définitivement à la menace d'un retour en prison et sombrait durant six ans dans une profonde mélancolie ; en 1958, lorsqu'après avoir presque achevé la rédaction des* Paravents, *il entrait, sans le savoir, dans une seconde période de silence qui allait durer cette fois-ci près de vingt-cinq ans.*

Il se pourrait que le projet du Bagne *soit ainsi lié chez Genet à un mouvement de repli et de retour sur soi ou sur un rêve antérieur, à la tentation de reconstituer l'univers carcéral dont il avait eu tant de mal à échapper et qu'il eut tant de peine à oublier. Carré vide, planté dans le désert, le bagne dont rêve Genet apparaît, en conséquence, comme un espace rigoureusement clos («un ventre sûr», dit-il), exclusivement tourné vers lui-même, plongé dans une éternité froide, capitale du malheur absolu dont «aucun rappel du monde extérieur, ni de la vie passée» ne vient troubler l'ordre immuable. D'où la dif-*

ficulté — celle peut-être à laquelle se heurta Genet — d'introduire dans un espace aussi purement mental et épuré, solitaire au point de « donner l'impression que le bagne est inoccupé », un élément dramatique qui ne brise ni son immobilité ni son silence.

Cette rigueur inflexible qui paralysa sans doute l'écriture de la pièce, fait cependant la force du scénario. Celui-ci offre au lecteur (ou au spectateur) un récit sans concession, « dont la destination, dit Genet, ne concerne personne » et dont les figures se dressent à une distance infranchissable, en rupture totale avec le monde. Peut-être le sujet de ce film n'est-il rien autre que la représentation de cette rupture qui trouve ici sa plus violente expression. Le soleil qui brille sans répit sur les pages du Bagne est le soleil le plus noir de l'œuvre de Genet.

ALBERT DICHY - LAURENT BOYER

LE BAGNE

Théâtre

esquisses

I

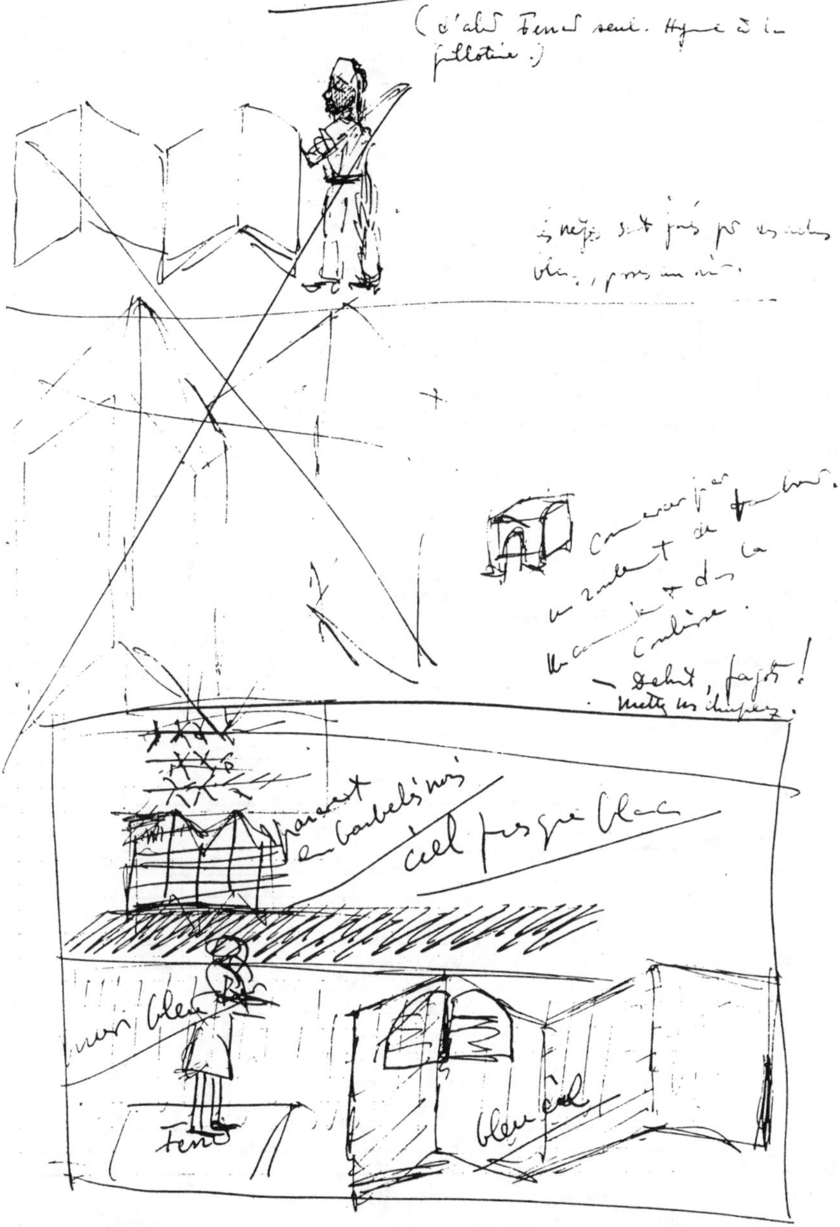

paravent en barbelés noirs
ciel presque blanc
murs bleu
bleu ciel
Terre

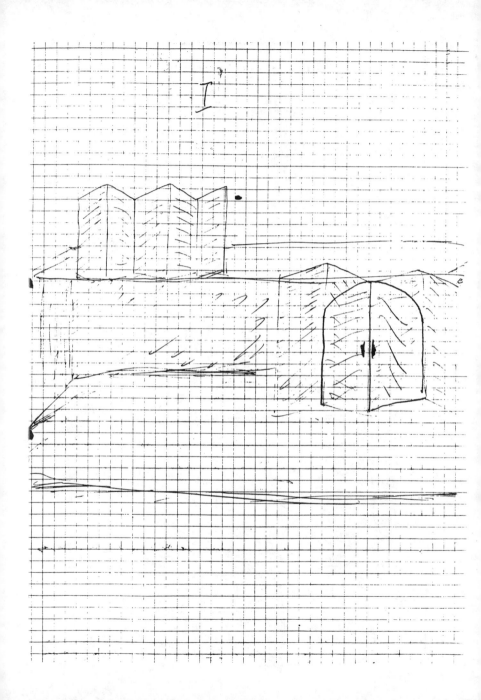

Le fond de la scène est constitué par un mur formant un angle obtus. La crête de ce mur – noir – est un chemin de ronde. Au-dessus le ciel, bleu très clair. Sur les côtés, les habituels panneaux de bois noir. Au pied du mur, donc sur le plancher de scène et dans l'angle obtus et obscur, des aides rouleront, venant de la coulisse de droite, une sorte d'écha-faud, haut d'un mètre environ. C'est là, sur ce socle, que les aides fixeront les montants de la guillotine. Cette partie de la scène est assez sombre.

Voici pour les costumes : les senti-nelles noires ont un uniforme noir, une casquette noire avec la visière dorée, le fusil à la main, et la baïonnette au canon du fusil. Le Sergent a le même uniforme, avec beaucoup de dorures. Le surveillant Franchi porte un uniforme blanc, très propre, très bien repassé, une chemise blanche, une cravate blanche, des souliers blancs, un casque colonial blanc, un baudrier et un étui à revolver de cuir noir. Le bagnard Ferrand porte le costume des bagnards, pantalon et blouse à longues rayures blanches et mauves. Il est nu-pieds. Un chapeau de paille blanche, à longs bords, ressemblant au feutre, relevé d'un côté, des mousquetaires sans la plume. Quand il paraîtra, Ferrand portera son chapeau sur la nuque, retenu au cou par un cordon, et laissant nu le crâne rasé. Ses épaules sont très larges. Sa voix est sonore. Le visage est dur et halé. Il a environ cinquante ans.

Sur le mur de ronde, les deux jeunes soldats nègres – Frisson et Nestor – bâillent. Ils bâillent beaucoup.

LE SERGENT ABEL
(d'une voix gourmande et enlevant un anneau qui était à l'oreille de Frisson)

Houh ! Houh ! Boucles d'or ! Diamants en verre, montre en argent, chevalière en cuivre... *(à mesure qu'il parle il retire tout cela du soldat)*... sur ta peau noire, dans tes cheveux c'est un régal...

(On entend dans la coulisse un roulement de tambour, puis un commandement : « Décoiffez ! »... un nouveau roulement, etc. : « Re... ! » Les sentinelles et le Sergent regardent derrière ce qui est censé être le mur de ronde, et éclatent de rire, mais d'un rire étouffé.)

...Allons sentinelles, essuyez vos yeux... *(il se calme lui-même).* Et regardez par ici. Je parlais des bijoux : vous devez les porter la nuit, pas le jour.

FRISSON
Qui nous verra ?

ABEL
Qui dans le désert voit l'œil du serpent ? Moi qui en parle. Et je dis que les bijoux tu les portes pour t'en savoir paré *(il tend la main)*. Aboule !

NESTOR *(donnant ses bijoux)*
La bague... bon, mais la tocante, montre qui marche, elle est utile.

ABEL
Utile, mais dorée. Donc bijoux.

FRISSON
Moi je les recrache facilement.

NESTOR *(hargneux)*
Moi pas. Je les porte la nuit pour les garder le jour.

ABEL *(irrité)*
Aboule ! La nuit, des bijoux, tu ne dois connaître que le poids *(il soupèse ceux*

qu'il vient de retirer aux soldats). C'est
sûrement du plomb. De nos jours, et
surtout aux confins des sables et des
sables, les uniformes sont trop légers.
La nuit, un soldat de garde doit se re-
dresser sous sa charge de métal.

NESTOR
*(donnant encore un peigne enrichi de
diamants, qu'il retire de sa tignasse)*
Alors, reprenez-les *(furieux).* Mais
maintenant, et c'est chaque matin pareil,
je ne me sens plus personne.

FRISSON
Moi je suis docile.

ABEL *(à Nestor)*
Soldat depuis quand ?

NESTOR
Trois marquis.

ABEL *(furieux)*
Mais ! Tu n'as pas encore remarqué la
patience que je montre à faire des

phrases convenables ? Trois mois, pas trois marquis. Ne touche pas à leur langage *(plus doux !)* Soldat depuis ? *(C'est maintenant que des bagnards, mais presque indiscernables, avec des gestes nets, roulent dans l'angle du mur, une sorte d'échafaud dont je parle plus haut).*

NESTOR

Trois mois. Et tant de femmes qui attendent mon retour avec mon galon de caporal !

ABEL

Mets tes parures la nuit, en leur honneur : elles viendront...

FRISSON *(triomphant)*

C'est ce que je fais ! Elles viennent à côté de moi, contre ma bouche !

ABEL

Apportées par quoi ? Le poids des bijoux *(Face au public)*. Moi, si j'effectue une ronde, la nuit, je me veux étinceler de mille éclats secrets, et c'est une guirlande de grosses dames qui m'accompagne. *(A Nestor)* Pense aussi que la nuit tu peux avoir le ventre crevé d'un coup de canif : si tu es couvert d'or, ou de plomb doré, tu te respectes, tu te gardes, tu veilles. Sans ornements tu t'affliges, tu t'affales, tu dodelines du chef, tu dors. Il faut aux sentinelles, la nuit, un diadème pour monter au mirador. Mais le jour, pas le jour. Donne s'il en reste.

NESTOR

Le compte y est.

ABEL

Fais voir la cartouchière *(il ouvre la cartouchière et il en retire une décoration en billets. Tous trois éclatent de rire).* Voyou !

FRISSON

C'est encore presque la nuit, Sergent Abel, Abel Sergent. Le soleil va venir...

ABEL *(doctoral)*

Il n'y a pas d'exécution capitale la nuit : c'est donc bien le jour. Regardez-moi ! Ecoutez-moi ! *(montrant l'espace derrière le chemin de ronde)* ce que vous ne devez jamais leur voler c'est leur langage et leurs manières. Pendant la garde de jour, ne soyez pas trop attentifs à ce qui se passe, vous pourriez être fascinés. Si vous trouvez le temps long, regardez en vous et cherchez-y la mer ou le galop d'un platane. Vous gardez le bagne, c'est-à-dire que vous empêchez qu'il ne se disperse, dilue ou dissolve dans les sables. Il doit être ici. Là. Pas ailleurs. Vous, remparts de bidoche et de nuit, vous n'en faites pas partie, mais par un mot d'argot, une phrase mal construite, un geste qui n'est qu'à ces messieurs, le bagne pourrait vous entrer dans la peau...

FRISSON

Ce qu'on voit...

ABEL

Sera bu très vite, et tout de suite recraché. Pas avaler ! Surtout pas avaler, car avaler...

(Il est interrompu par un énorme éclat de rire en coulisse. Puis, entrant à reculons, de la coulisse de droite, paraît Ferrand. Son grand chapeau sec au large ruban rouge, pendant sur son dos, puis le surveillant Franchi, à reculons aussi).

FERRAND *(dans un éclat de rire)*

Oui, c'est ça ! Qu'on l'égratigne !

FRANCHI

Que le sang coule ?

FERRAND

(Il se retourne, s'avance en scène après avoir, des deux mains, fait un geste comme s'il écartait les deux ventaux d'une porte, et qu'il entrait).

C'est çà ! J'ai peur qu'on l'égratigne et que le sang coule. *(il rit)* Clergé à la messe des Rameaux. Impératrice le jour du sacre, elle a droit à une porte à deux battants. Qu'on nomme vantaux en son honneur.

FRANCHI
(embrassant du regard l'espace scénique, vide)
C'est une belle remise.

FERRAND
(se retournant vers la coulisse de droite)
Rincez-là ! *(tourné vers Franchi, il fait admirer son vêtement)* Vous voyez : pas une tache et pourtant quels jets ! Ça giclait jusqu'aux yeux du Directeur !

FRANCHI *(regardant à son tour)*
Ils vont noyer l'Impératrice.

FERRAND *(furieux)*
Rincez, mais à coups de seaux d'eau... Aspergez doucement... *(à Franchi)*. Et de l'eau glacée, les brutes. *(à la coulisse)* Mettez un peu d'eau de fleur d'oranger,

et brossez les pieds. De l'huile aussi, sur les écrans... Séchez les bois avec une serviette de laine. Quoi ? Au soleil ! *(encore plus furieux)* Portez les bois à l'ombre ou déchirez le soleil !

FRANCHI *(très doux)*

Tu l'essuies avec des chiffons de laine ?

FERRAND
(très sérieux, regardant Franchi)

Elle peut s'enrhumer, choper des rhumatismes. Si le temps est à l'humidité – on ne sait jamais, un orage – je crains pour ses épaules.

FRANCHI *(toujours très doux)*

Elle a l'air solide.

FERRAND

Rien d'aussi délicat que le solide et l'éternel.

LE BAGNE

FRANCHI *(avec un léger frisson)*

Et dans la remise l'ombre est douce... comme ma peau...

FERRAND

C'est à l'ombre d'un jeune bois de lauriers qu'elle aurait droit. *(soudain sévère)* Cent vingt-sept !.. Cent vingt-sept !.. En dix ans, ça offre la cadence de douze par an, ou une par mois. Je dis une, j'aime mieux compter les têtes. Cent vingt-sept têtes d'un côté, de l'autre côté, cent vingt-sept troncs.

(Abel vient de sortir. Les deux sentinelles, sur le chemin de ronde regardent au loin).

La nuit, quand je dors mal, au lieu de prendre du tilleul, je greffe : une tête à l'un, une tête à l'autre. Ou bien j'invente qu'au lieu de les avoir sectionnées en dix ans, je les coupe à la hâte, à la va-vite, je les débite, à la chaîne, et je les regarde sauter-bondir dans les mains de mes deux rosiers rouges.

(Il se retourne soudain, d'un mouvement brusque, vers la coulisse de droite, d'où sortent deux aides, vêtus comme lui, mais couverts de sang. Ils portent l'un des montants de la guillotine).

Doucement, messieurs, doucement... *(ils s'écartent, de façon que les aides puissent planter ce premier montant sur l'échafaud. Ecartant Franchi)* Ils pourraient vous tacher. *(narquois)* Vous aussi vous avez de la tenue. Qu'est-ce qu'on utilise comme amidon pour vous empêcher de vous effondrer !

FRANCHI *(très doux)*

Oui. Dès que mon uniforme est froissé, je me sens un peu seul au monde...

FERRAND

Jusqu'à pleurer.

FRANCHI

Non. *(un temps)* D'ailleurs, aujourd'hui on reçoit du monde. Il y a un arrivage.

J'ai encore un peu raffiné sur les accords de blancs.

FERRAND

Du gros gibier.

FRANCHI

On le dit.

FERRAND

Le fameux Forlano ? C'est lui ? *(Franchi ne répond pas)*.

(reprenant) Oui, comme je vous le disais, c'est le seul plaisir que je me tolère. *(regardant affectueusement ses aides qui sortent à droite)* Mes rosiers, eux, c'est autre chose. *(il rit)* A peine le travail fini, ils s'amusent à tripoter un machin par-ci, machin par-là, retroussent les babouines... *(à la coulisse) :* Pas trop d'huile aux écroux... babouins du supplicié, dénoyautent une couille, dévissent un arpion... *(dans un éclat de rire)* : Mes rosiers grimperaient la mort ! *(les deux aides entrent à nouveau portant le*

deuxième montant qu'ils disposent, comme le premier)... Moi non. Pas un tracas morbide. Pas un. *(grave)* Et toute la haine pour moi. Je ne m'en plains pas, au contraire.

FRANCHI *(très doux)*

Quand on a accepté le bagne, autant y sécher, pas y pourrir.

FERRAND

Ça, je me le suis dit. Comme tout le reste.

FRANCHI *(très doux)*

Je comprends qu'on ne t'aime pas.

(Les deux aides vissent les écrous, s'affairent, avec des gestes précis. Puis ils ressortent à droite).

Moi, je fais mon travail à la satisfaction de tous. Envoyez la votre, ou dites à ces messieurs, quand je fais glisser – quand je laisse glisser l'outil – qu'ils envoient une de leurs mains, la droite ou la gauche, la plus sensible, et qu'elle se pose sur ma braguette : calme. Mer calme. Mer sans écume. Pas de haine, ni de plaisir... *(il s'interrompt et se précipite à droite : les deux aides apparaissent, portent le couperet d'acier, extrêmement luisant. Aux aides !)* Venez, mes rosiers. Mais faites doucement. Après vous irez vous laver. Le couteau, c'est moi que ça regarde. *(il leur prend le couteau des mains, et, escaladant le praticable, il va lui-même le poser entre les montants, au sommet, de sorte que la guillotine est tout entière montée. Les deux aides, qui sont nu-têtes, rient. Les deux sentinelles sortent, l'une à droite, l'autre à gauche, quittent le chemin de ronde. Ferrand frotte un peu le couteau, essuie un montant... tout cela avec des gestes très minutieux. Puis il redescend. (A Franchi) :* Je l'ai voulue rouge – et c'est moi qui l'ai barbouillée – pour qu'elle ait même dans la nuit sa ration de sang. Sur le sang, je pourrais vous parler pendant longtemps. Le sang...

FRANCHI
(l'interrompant, mais avec douceur)

Tu brilles trop, Ferrand. Une fois par mois, une fanfare te précède.

FERRAND *(avec rage)*

Comme une femme, une fois par mois je lâche les écluses : le sang inonde des linges. Une fois par mois je suis intouchable. Je dispose de la mort. *(encore plus rageur)* : Et c'est par là que je suis femelle ! *(aux aides)* Rosiers !

UN DES AIDES

Compris.

FERRAND

On va la pousser dans le coin le plus sombre de la remise. *(le chemin de ronde, qui ferme la scène, s'ouvre par le milieu, laissant apparaître un espace très noir. Les deux aides, arc-boutés, y poussent la guillotine, qui doit donc être montée sur des roues invisibles. Face au public, dans un grand élan tragique)* : Sans elle, il me resterait quoi ? Sans elle, je veux dire sans la mort ? Toute ma vie est en elle. C'est vrai chef, je ne dispose, ici, que d'un secteur limité.

(Tout en parlant, il reculait, presqu'en dansant, de telle façon qu'il entrait dans l'espace scénique découvert par le chemin de ronde entr'ouvert. La guillotine, poussée par les deux aides, en occupe déjà le fond où Franchi a suivi tout le monde. Le chemin de ronde se replace, comme au début.)

II

VIII

Chager au séchir

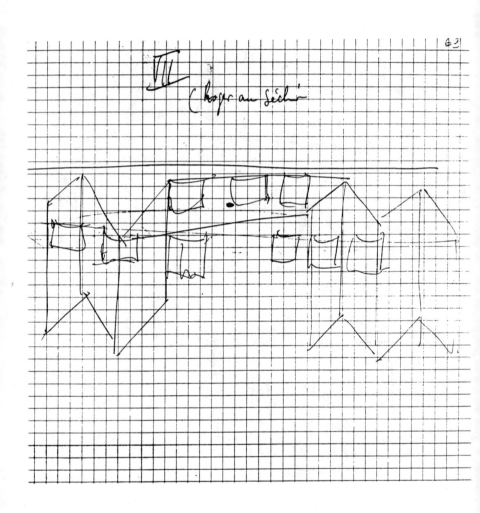

Le décor formant chemin de ronde demeure en place, mais s'éclaire violemment. De la coulisse de gauche, et d'entre les portants de bois noirs sortent deux éléments de décors formant l'angle droit d'une construction blanche (chaulée). Cela doit représenter le coin d'un bâtiment, qui projette sur le sol une ombre très dure. Quand cette mise en place s'est faite – assez rapidement – deux soldats nègres, qui étaient comme accroupis sur le chemin de ronde, se relèvent en astiquant : l'un sa gamelle, l'autre sa baïonnette qui brillent, et sont très visibles. C'est alors que, venant de la coulisse de droite, et tenant ses sabots à la main, très léger, dansant presque, paraît Roger. Il doit avoir vingt ans à peu près. C'est un jeune bagnard, habillé comme les autres. Il est coiffé du grand chapeau de paille. Il se place face au public, presqu'adossé à l'angle du mur, pourtant il semblera s'adresser à quelqu'un d'invisible. Les Nègres ne s'occupent pas de lui.

ROGER
(il étouffe un éclat de rire
dans sa main libre)
... sans compter les fleurs.
(il semble écouter, puis répondre !)
... quelles fleurs ? *(il rit)* Des marguerites, des pensées, des anémones, celles qui sont faciles à fabriquer. Il me donne des perles qu'il vole, des perles de toutes les couleurs. Je les enfile dans un fil de fer et je fabrique des marguerites en perles... *(Un temps. Il semble écouter)*... Non, mais, pour être sûr de gagner sur tous les tableaux, je récite mon chapelet : à chaque perle un je vous salue Marie. *(il rit)*. Quand j'ai fini un bouquet, j'ai le ciel pour nous... *(Un temps)*. Oui, j'en offre la moitié pour toi... *(Il rit. On*

entend tousser, et la toux, très rauque, vient de derrière le mur blanc)... si la Sainte-Vierge n'est pas une ingrate, qu'elle m'envoie une de ses roses !... *(Un assez long temps. Il rit. On entend encore la même toux et un raclement de gorge)...* Oui, il m'en a travaillé une paire. *(il regarde ses sabots)...* Je les tiens à la main, j'ai peur de les déchirer quand je marche avec, c'est de la dentelle. Je ne peux me balader que sur mes pieds nus, ou me laisser porter sur un tapis de poussière... *(il rit et écoute)...* Qui fait la poussière ? Tout l'univers s'en occupe. J'avance en douce, chaque pied sur son petit nuage... Prudence !...

(A peine a-t-il murmuré ce mot qu'il disparaît par où il était venu. Sur le mur de ronde, Mockri et Black, les deux soldats nègres qui étaient accroupis, se sont relevés, tout en astiquant gamelle et baïonnette qui étincellent).

BLACK
*(astiquant sa baïonnette
avec un chiffon)*

Le soleil brillera, dardera, été comme hiver, aujourd'hui comme hier, d'un éclat sans pareil. Ses rayons sont des flèches. Je sèche jusqu'au sang des veines et j'aveugle les aigles ! *(Il rit. Il a dit d'ailleurs cette tirade dans un grand rire).*

MOCKRI
Moi, je brique en rond. Je n'ai pas trop de toute ma patience...

BLACK *(emphatique)*

Ma flèche est un rayon de l'astre. Je vise à la tempe. Ma décision ne pardonne pas. Je vise juste, et c'est une insolation de plus à mon tableau de chasse. *(il éclate de rire)*

MOCKRI *(grave)*

Tu ne foudroies que les hommes.

BLACK *(étonné)*

Que les hommes ? *(soudain furieux)* Faut bien puisque les chouettes, les chauves-souris, les chacals, ne sortent que la nuit, fort bien puisque les autres vont à l'ombre ! Et pourquoi pas, puisque je suis méchant ? Toi, tu astiques la lune !

MOCKRI *(doux)*

Si on veut. Je l'ai touchée ma gamelle neuve, au magasin, le jour de mon arrivée, et c'était la nuit. Deux fois par jour je mange dedans ma barbaque et mon rata, mais elle restera neuve. Elle fera mieux : à force de l'astiquer, j'espère lui faire remonter sa jeunesse plus haut et qu'elle brille comme la première lune le premier soir du monde.

BLACK
(féroce, montrant sa baïonnette)

Ça c'est un vrai rayon, venu du vrai soleil dans ma main de fer. Ça brille et ça tue. *(il rit méchamment)* Toute ma force – celle qui est dans mes cuisses, sous ma culotte et dans mon torse – passera dans mes bras. Si la chaleur écrase le bagne... *(il s'interrompt pour regarder la cour, c'est-à-dire la scène)...* où est passé le petit forçat qui était venu apporter des mégots au vieux ?

MOCKRI
(sans regarder, sans interrompre
son travail)

Il va revenir. Il a entendu un gardien s'approcher. Il s'est abrité derrière le mur.

BLACK *(enchaînant)*

... si la chaleur écrase le bagne, si ce soir les puits sont secs, si demain le sang coule du nez de quatre ou cinq crevés d'insolation, c'est à ma puissance d'astiquage qu'on le devra.

MOCKRI

(regardant vers l'intérieur des murs)

Ça bouge, là dedans. Ça grelotte. *(il rit)* Ça frissonne. Là, tes rayons n'arrivent pas : c'est l'humidité, la nuit, c'est la crève et ça me regarde. *(Black rit en même temps que Mockri, d'un rire énorme)* Et ça remue... mais lentement, ça risque de se cogner aux murs... c'est aveugle comme une taupe... ça crache !... ça envoie sur les murs et au plafond des giclées sanglantes, et c'est son ciel !... *(ils rient encore)*... ça essaye de s'oublier... ça essaye de ne pas s'oublier... ça pisse dans un coin, ça chie sans le savoir... ça crève au ralenti... *(ils rient)*... ça tremble vertical, ça tremble horizontal... et ça caresse sa tinette à merde !...

(Cependant, vif, léger, prudent, Roger, ses sabots à la main, est revenu au même endroit. Silencieux, les sentinelles astiquent sans s'occuper de lui).

ROGER
*(il a d'abord un rire très clair
et très doux)*

... le temps de laisser passer deux anges et d'aller pisser loin de ta fenêtre... *(il semble écouter, puis il rit)...* la nuit, non, personne ne m'approche, personne ne me touche, même pas le drap. Personne sauf toi... *(il écoute, il prête l'oreille)* Comment tu t'y prends ? Tu dois le savoir : tu traverses ta porte ou ton mur, la nuit, tu traverses les cours, tu passes au travers des nègres et de Marchetti, tu passes entre les barreaux de mon box et tu te couches à côté de moi. *(il rit)* Ma cuisse et mon épaule ont reconnu les tiennes.

(Il semble écouter, mais soudain on entend s'approcher des pas rythmés. Très vite il met ses sabots, il se découvre, sourit à la coulisse, se recouvre. Les pas s'éloignent. Les nègres éclatent de rire. Il reprend ses sabots à la main) :

... C'est Marchetti qui passait avec une corvée. Ils reviennent de combler la fosse de Stoclay... Tu as dû entendre les tambours. J'étais à genoux au troisième rang et j'ai vu sa tête entre les mains d'un des rosiers de Ferrand... *(un temps. Il écoute. On entend tousser).*

... Tu tousses comme si tu vivais en Belgique. Retiens-toi. Si les gardiens – ceux qui en prennent pour leurs bronches – ne les suçaient pas jusqu'au bout, c'est des valdas que je t'apporterais... au lieu de mégots... *(il écoute et il rit)*... Avec Marchetti on s'est échangé un sourire de travers... *(il écoute et il rit).* C'est logique : si je veux traîner à travers le bagne, je dois lui rendre deux ou trois petits services, et s'il veut que je les rende, il faut que je traîne... mais je ne moucharde que les cloches...

(Roger, soudain se découvre et reste immobile. Il paraît inquiet. Venant de droite, passe le gardien, Laurenti. Il a le même uniforme blanc que Franchi).

LAURENTI *(sévère)*

On échange des secrets ?

ROGER *(mal à son aise)*

Je reviens de l'infirmerie. Je me suis blessé en étendant les chemises et les draps sur les fils.

LAURENTI

Mordu par une épingle à linge ?

ROGER *(souriant avec complaisance)*

C'est venimeux, les épingles à linge.

LAURENTI

Et tes pieds délicats tu les enveloppes dans des sabots en dentelle. *(dur)* Tu ne veux pas que je te porte dans les bras ? *(sur un ton furieux)* Qui a retravaillé tes sabots ?

ROGER

Ferrand.

LAURENTI

Ce sera les derniers. Dans l'arrivage qu'on reçoit aujourd'hui on attend Santé

Forlano. Il vient de passer la porte du bagne et tu es déjà oublié. *(méchamment)* Plus de sabots en dentelles.

ROGER

Je les ai payés. Monsieur Marchetti...

LAURENTI

Un bon marchand ne prononce pas le nom de son employeur.

ROGER
(provoquant, hausse la voix et la tête)

Il se trouve que je suis un bon marchand. Mon nom et mon titre, d'autres aussi me les ont jetés, et ma tête et mes épaules sont fières d'en être chargées. *(avec rage)* Je ne plie pas. Si le roi des marchands...

LAURENTI *(avec un dégoût excessif)*

La reine.

ROGER

(d'une arrogance toujours plus grande)

Pardon, chef : la reine. Si la reine des donneurs ne portait pas avec elle sa couronne et son manteau bien visibles...

LAURENTI *(l'interrompt)*

Le long des murs il y a un ourlet d'ombre. Si tes pieds peuvent le supporter, marche dessus, mais vite... Contourne les bâtiments,... ne coupe pas les cours en diagonales, mais fais avec les murs un angle droit. Ou c'est le mitard. Va étendre ton linge ou t'étendre sur lui, mais file.

(De mauvaise humeur, Roger s'en va. Il quitte la scène à droite. A gauche sort Laurenti. Les deux nègres rient aux éclats).

BLACK

Tu vois dans quelle humeur mon ventre (puisque c'est de mon ventre que sort le désespoir qui me donne la force d'astiquer le soleil !) – dans quelle humeur mon ventre met deux hommes ?

MOCKRI
(riant du même rire que Black)

Tu as raison : il n'y a que la lune qu'on peut récurer comme ça, en rond *(il fait le geste de nettoyer le fond de sa gamelle).* Et c'est bien de moi, de mon geste du bras droit, que vient le chagrin des nuits.

BLACK

Je suis aigu !

MOCKRI *(même éclat de rire)*

Je suis rond !

(Cependant que parlaient les sentinelles, les deux éléments de murs blancs constituant le décor, ont pivoté et montrent alors l'intérieur du mitard. Les murs en sont tous noirs, comme goudronnés. Ils brillent. Rocky – il a à peu près l'âge de Ferrand, quarante-cinq à cinquante ans – écoutait, debout. Il est nu, mais autour

49   LE BAGNE

des jambes une couverture grise est en-roulée. Le buste semble donc reposer sur un socle. Près de lui, il y a une tinette. Il frissonne, puis il s'accroupit et fait des gestes qui seront commentés par ce mono-logue).

ROCKY

Mégots !... Clops... clops parfumées !... Mais à quoi ? *(il semble donc, avec sa main droite, défaire des mégots qui sont dans la gauche).* Ça, c'est de monsieur l'Econome. Il y a laissé la trace de ses dents en or... Monsieur est nerveux... mordille ses cigarettes... *(il fait le geste de prendre un autre mégot).* Ça, c'est le surveillant Leduc. A peine humecté. Même le feu a des délicatesses et n'approche des moustaches qu'à tâtons... *(un autre mégot).* Toi, t'es le surveillant Fouine-merde. Tu m'apportes l'odeur de son blaze, mais j'ai le cœur en bronze si j'ai les poumons en éponge... *(il tousse, et prend un autre mégot)...* Oh, oh ! à peine touché ! Le gamin l'a cueilli avec ses dents entre les dents de Monsieur Marchetti ! Bon à chiquer ! *(il le roule et semble s'en faire une chique. Soudain, il se redresse et s'approche du mur, il écoute et parle d'une voix forte)* :

... pas d'imprudence, je te l'avais dit. Si le chef te reçoit sous ma fenêtre, je suis baisé. Et plus personne pour aller me cueillir des mégots. *(il tousse)* J'ai besoin de chiquer, ça me fait cracher. Dernier plaisir qui me reste. J'envoie des giclées sur les quatre murs de ma cellule et sur le plafond. C'est comme ça que je peux chanter sous un ciel étoilé. Ensuite, j'étudie les étoiles. Je tâche d'y lire l'avenir du monde. *(avec un mouvement des épaules)...* ne me coupe pas la parole. Je sais ce que me disent mes étoiles. *(renversé vers le plafond, il fait étendre un bruit comme s'il crachait, et le doigt tendu, il montre)* : Un astre nouveau vient d'apparaître... avec ses habituelles traînées de sang... avec les autres, avec les nébuleuses du mensonge et de l'ennui. C'est mon ciel où mon destin est bien écrit... *(avec le même mouvement d'épaules que tout à l'heure)*... ne me coupe pas la parole... depuis que j'ai appris à expédier mes molards sur les murs et le plafond, je ne suis plus seul... Un ciel m'environne et j'y lis ma crève, mais aussi la tienne et celle de Ferrand.

(Il s'interrompt et écoute assez longtemps. Puis) : ... Lui ? *(il éclate de rire jusqu'à tousser)*... Lui ? Ce qu'on a fait pour venir ici n'intéresse personne. Tous égaux quand est passée la porte des sables. J'en ai connu des assassins : écartez le bruit, comme on écarte les branches, et c'est une misérable misère qui en regarde une autre. *(il tousse)* Ferrand, c'est avec mes armes à moi que je veux le combattre ! *(il écoute, et furieux)* : Tu dis ? *Ses armes à lui ? Sa machine en fer et en bois* t'en impose,

mais moi j'ai pour moi ma maladie. J'en suis sûr, elle va empuanter tout le bagne ! On va s'en souvenir du mal de Rocky, de sa crève et de ses molards qui lui font une voûte céleste ! *(il écoute)* Tu dis ? Cause plus fort... *(il tousse)*... cause plus fort... on va ramasser des mégots pour ma chique... *(il écoute encore un moment)*... Non, je n'en ai pas envie... pas aujourd'hui ! *(affolé)* Non, ni tes épaules, ni ton cul qui bougent n'y pourraient rien... va le faire ailleurs si ça te démange, mais pas sous mon balcon... fous le camp !...

(Il s'interrompt pour tousser. Le paravent pivote pour montrer l'extérieur de cette prison, comme au début de la scène. Les deux nègres se sont redressés en hurlant et en riant).

BLACK *(hurlant)*

Du soleil !... Toutes les pointes dehors, Mockri, le gamin va danser !

(Le paravent a pivoté. Roger se trouve debout dans l'angle, le chapeau et les sabots à la main, immobile.)

ROGER *(doucement)*

D'accord pour un pas de valse sous tes murs. Peut-être que ma chaloupée les fera bouger... Ecoute comme c'est doux ! *(il rit et commence à se déhancher)* Je vais danser pour toi, Rocky... *(il commence un mouvement de valse)* Je danse pour toi, Rocky, je danse au soleil !

(Il danse en effet en sifflant. Le décor blanc recule et rentre dans la coulisse. En dansant Roger fait la même chose. Cependant que les deux nègres astiquent leurs arme et gamelle de plus en plus vite).

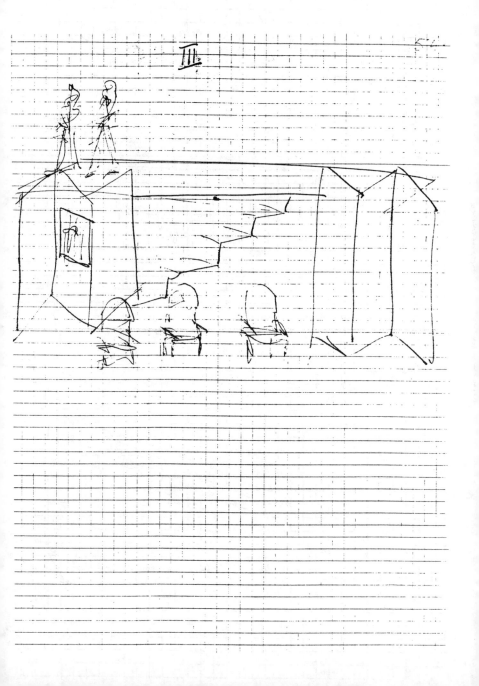

VI (Rocky au mitard)

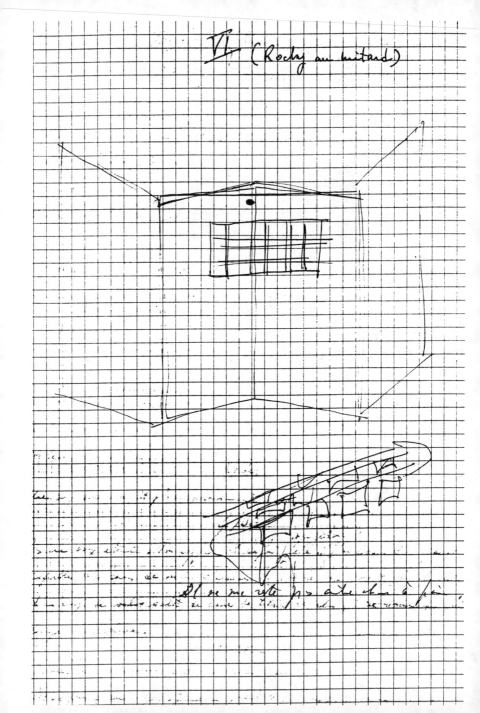

Le décor du II a donc disparu. Les nègres aussi. Il reste, au fond, le mur noir et le chemin de ronde. De l'angle obtus du chemin de ronde sort un escalier noir qui sera latéral à l'autre pan de mur. (On peut supposer quelques pierres du mur qui tout à coup font saillie pour former un escalier). Puis, ce mur de ronde s'ouvre en deux : on voit alors trois fauteuils de bois rouge – un plus imposant au centre. Le Directeur, le Sous-directeur et l'Econome y sont assis. Ils s'éventent avec de petits éventails. Le Directeur a un costume noir, cravate noire, souliers noirs. Les autres sont en blanc. A droite, c'est-à-dire près de l'Econome, sur une sorte de lutrin, il y a un énorme registre à couverture verte. Tout cela se détache sur un mur très blanc.

LE SOUS-DIRECTEUR
(comme s'il présentait
un échantillonnage)

Choisissez : mousmé, señoritas... marquise,... vénitienne, Madame Butterfly, Carmen ou Manon...

L'ÉCONOME *(hésitant)*

Manon... oui, mais Manon, c'est pour le soir. Il faut un lustre.

LE SOUS-DIRECTEUR

Il est vrai qu'être Carmen dans cette chaleur ! *(il fait battre son éventail)*. Ah, l'œillet rouge, l'œil noir et le peigne de Carmen !...

L'ÉCONOME *(battant de l'éventail)*

Il faut un lustre... pour être Manon, il faut un lustre... et mourir au bagne...

LE DIRECTEUR
(faisant bouger doucement son éventail)

Il me reste d'être une mousmé ? Voilà donc, entre autres choses, en quoi le bagne me métamorphose. Pas moyen d'abandonner cet éventail, par le mouvement de mon poignet une jeune dame m'investit, et les journaux d'écrire que ce sont les bagnards les vrais victimes ! *(il soupire)...* mousmé ! Aux chairs roses !... Cessons ce jeu... car... sait-on jamais...

L'ÉCONOME

Il n'y a vraiment rien à craindre, Monsieur le Directeur. Votre grosse moustache...

LE DIRECTEUR

Vous n'avez jamais vu des mousmés à grosses moustaches ? Il y en a.

LE SOUS-DIRECTEUR

Comment arrêter ce battement d'ailes, et mes cils qui battent au même rythme. *(il s'éponge)* Je fonds. Dans dix minutes je devrai aller tordre mes chaussettes...

L'ÉCONOME

C'est de la tête aux pieds que je suis humide. A tel point que, le matin, sur moi traîne un brouillard... comme sur un pré... en Normandie...

LE DIRECTEUR *(sec)*

Monsieur L'Econome, il nous en reste à voir encore combien ?

L'ÉCONOME

Sauf Forlano, tous sont passés devant vous, Monsieur le Directeur. Ils étaient quatre-vingt-trois sur le bateau. Chiffre à peu près constant... Quatre-vingts... Quatre-vingt-dix par trimestre. *(Rêveur)* On les tond, en ce moment *(il regarde sa montre qu'il a sortie d'un gousset)...* leurs boucles tombent, ou sont déjà tombées, dans leurs mains.

(Un silence).

LE DIRECTEUR

Ne vous gênez pas : évoquez.

L'ÉCONOME *(gêné)*

Je vous demande pardon.

LE DIRECTEUR
(jouant avec son éventail)

Si, si, racontez. Ça me fera prendre patience. J'aime attendre, d'ailleurs, par goût du théâtre, mais je ne déteste pas les récits bien faits.

L'ÉCONOME
(se décidant après une légère hésitation, et tout en jouant avec son éventail)

Ils s'agenouillent pour qu'on les tonde. Le coiffeur – c'est Sposito, tueur d'un agent de change – le coiffeur a ses fantaisies : la plupart du temps il passe la tondeuse en croix, ou bien il dessine d'abord une calotte, comme à un moine, et il tond la frange en dernier. Il s'amuse, en somme. Les choses tombent par terre, et ces messieurs les ramassent avec mélancolie... *(silence)*

LE DIRECTEUR

Votre histoire est si triste qu'on dirait qu'il pleut, et ça nous rafraîchit. Dites la suite.

L'ÉCONOME

Ils volent une ou deux boucles de leurs cheveux qu'ils cachent dans leurs poches.

LE SOUS-DIRECTEUR

La tenue de forçat n'a pas de poches.

L'ÉCONOME

Officielles, non, mais vingt ou trente secrètes. Ils y mettent les mégots, la monnaie, les photos, les couteaux, le plan d'évasion...

LE DIRECTEUR *(sec)*

Le plan va dans le cul.

L'ÉCONOME

En période de crise, sinon il est dans une poche. Avec la correspondance amoureuse, les poèmes, les cheveux, et le reste. La nuit, ils sortent la boucle dérobée et la peignent, la lissent, la lustrent et la rempochent.

LE DIRECTEUR

Vous les épiez ?

L'ÉCONOME

Je les invente.

LE DIRECTEUR

(avec un regard en coin vers l'Econome)
Je les reconnais. Vous en savez peut-être plus long que moi sur la rivalité Rocky-Ferrand ? Vous avez peut-être compris ce qui les pousse à se haïr, à se mesurer, à se tirer ? *(il rit)* Et comment tout ça va finir ? Hein, vous le savez ? Vous en savez long, sur la lutte du tubar et du bourreau ?
(Un assez long silence, puis très agacé).
Mais qu'en font-ils ? On le traite comme un roi captif, ce Forlano. *(à l'Econome)* Le grand catalogue est prêt ?

L'ÉCONOME

Je l'ai fait préparer en cas. *(Il montre le registre vert. Soudain, d'un seul mouvement, les trois hommes tournent la tête, et regardent en direction de la coulisse de gauche. Tous les trois dissimulent le bas de leur visage avec l'éventail.)*

LE DIRECTEUR

Sur des escarpins vernis, ou des bottines à boutons ? Et son costume ? Prince de Galles croisé ou fil à fil bleu outremer ?... Et ses cheveux, plaqués ou en désordre, quand il soignait la vieille ?... Approchez ! On aurait dû attendre mon ordre avant de lui enlever ses oripeaux... Bonjour monsieur... *(Entre Forlano, encadré par deux gardiens vêtus de blanc. Il est déjà en costume de bagnard, et il tient son chapeau à la main. Aux gardiens)* : Ecartez-vous. C'est dans un vide solennel que je veux recevoir cet illustre assassin. *(à Forlano)* Vous voici au bagne... *(un temps)* Oui ou non ?

Vous avez sans doute pensé que vos assassinats vous tueraient. Non. Il va falloir vous donner encore un peu de mal, si vous voulez connaître la vraie mort *(l'Econome et le Sous-directeur font battre plus vite leur éventail)... (un temps)* A cause de votre jeunesse, on ne vous a pas exécuté. Souvenez-vous toujours de ce que vous lui devez : la bénir ou maudire, à vous de décider. C'est vos oignons. *(négligemment)* Avant vous, votre nom a traversé les mers. Les journaux ont raconté votre crime. Vous êtes célèbre... *(un temps)* Le bagne aussi. Il vous attendait... *(Forlano ne bronche pas)...* Pas mal... Oui, pas mal, votre petite gueule... une modestie qui n'appartient qu'à ceux que la gloire ou la mort ont touchés... si j'ai bien interprété ce que j'ai lu dans les journaux et sur votre personne qui est en face de moi et par ailleurs, vous aviez décidé de faire de vous un petit chef-d'œuvre. C'est cela ?... Vous avez le regard idiot et profond des gens qui se savent menés, dressés par un dieu. Non, vous n'êtes pas très intelligent et vous vous en foutez, vous êtes grand. *(Il se lève. Le Sous-directeur et l'Econome l'imitent).*

Ça, on va s'en rendre compte. C'est ici, chez moi, qu'il faudra manifester votre génie. *(Il s'approche de Forlano)* Mon rôle, pour commencer, est de vous mettre tout de suite dans le bain. Approchez-vous. *(Il le prend par la main et le conduit près du livre. A l'Econome)* Vous, commentez. *(A Forlano)* Et vous, goûtez la récitation.

L'ÉCONOME
(après avoir ouvert le livre, à chaque photo il fait un commentaire. Le public devra très bien voir ce livre ouvert qui ne contient que des agrandissements photographiques d'assassins.)

Vous avez ici la plus riche collection au monde de repris – de re-pris ! – de justice. Ils ont commis autant de crimes que vous...

LE DIRECTEUR *(l'interrompant)*

Trop mou. Moi, je vais commenter... autant de crimes que vous, et de plus éclatants. Et comme ils ont payé, vous paierez... Penchez-vous. Vous avez peur ? Peur des photos, ou peur de vous voir ?... Feuilletez... *(Forlano tourne une page)* Novak, Bruno s'attaquait aux fermiers... *(sur un geste du Directeur, Forlano tourne la page, apparemment indifférent, et il en sera ainsi jusqu'au bout des commentaires du Directeur)...* Colonna. Il y avait – avait ! – toute une dynastie des Colonnas. Celui-ci était – était ! – un des plus brillants. Cruel, intelligent... *(Forlano tourne la page)* Schaeffer. Il devrait vous plaire. Il avait votre âge quand un caïd l'a éventré... *(Forlano tourne la page)* Delazinsky. Lâche. Abominablement ou admirablement. Tuait les enfants. Ou mouflets. Ou minos. La lâcheté vous séduit, peut-être ? *(Forlano tourne la page)* Oléo. Vous êtes trop jeune pour vous le rappeler, mais il a été illustre. *(Forlano tourne la page)* Agranate. Ne vous intéressait sans doute pas : il empoisonnait. *(Forlano tourne la page)* Nogaro. Vous savez lire, un règlement de comptes dans un port... plus vite, tournez plus vite, je m'impatiente. Meskel... Rubio... Nicolaï... il y en a d'autres, vous voyez, plein le catalogue, et de plus beaux... Tous sont morts... Ce que je dis n'a pas l'air de vous intéresser ? Vous n'êtes peut-être pas sensible au pouvoir des mots *(le Directeur va s'irriter de plus en plus)*... alors, venez... tous sont morts. Ou bien tentèrent l'évasion, ou bien... *(il laisse la phrase suspendue, cependant qu'il prend Forlano par le poignet et le conduit doucement derrière le pan de mur qui est à gauche. Après quatre secondes, ils apparaissent sur le chemin de ronde. Alors qu'ils étaient invisibles, suivis des yeux par les deux gardiens, le Sous-directeur et l'Econome, on entend le Directeur dire)* : Vous avez la main épaisse, pour une si fragile frimousse... *(on les voit apparaître)* Regardez... *(le Directeur indique à Forlano la coulisse de gauche). Toutes les robes sont pareilles, brunes et jaunes.*

(Forlano regarde, comme fasciné) Les yeux sont les mêmes. C'est que le fils baise la mère, le père la fille, le frère la sœur, bref c'est l'inceste dont les humains doivent rougir et rêver. Et tous portent le même nom... Donc, je vous disais : ou bien tentèrent l'évasion, et ils furent dévorés par nos chiennes, ou bien... *(le Directeur, toujours sur le chemin de ronde, conduit Forlano plus avant dans la coulisse d'où on entendra, sans voir les deux autres)* : Elle vous plaît ?... Elle vous paraît peut-être bizarre ? C'est que le couperet est enlevé. Il est la propriété personnelle de Ferrand – que vous connaîtrez – et qui le polit à l'émeri.

Faut que ça reluise, son canif. Je reprends : ou bien, essayèrent de continuer ici... *(ils réapparaissent, mais sur le sommet de la partie du mur de ronde qui est à droite de la scène. Ils sont, pour cela, passés derrière le fond de la scène)* leur triomphe personnel, et Ferrand leur coupe le cou. Venez... *(arrivé sur le mur)* : Nos guerriers nègres. *(il rit)* N'ayez pas peur. On ne vous offre pas en présent, mort ou vif, à des divinités. Ce sont de braves sentinelles. *(il montre la coulisse de droite)* Elles épaulent, visent et tirent. Elles sont sans pitié. Elles ignorent le français et croient que vous avez essayé de séduire une des femmes de notre président de la République. Elles gardent le bagne, et ça... *(il montre le fond de la scène, au loin)* Pas un nuage ! Le soleil va tomber brusquement, et ce sera la nuit... si vous étiez venu en touriste ce serait moins beau – regardez ! – le désert est là, pour vous ! C'est vous qui le justifiez, c'est

votre charmante personne. Regardez-le.
Faites-lui cette politesse. *(Soudain grave,
et après avoir lancé son éventail à l'Econome)* On prétend que vous êtes capable
de relever un défi. Ces messieurs, de qui
vous avez vu la binette anthropomé-
trique ont essayé d'être les plus fortiches.
(il crie) Ecoutez-moi, et ne vous évadez
pas dans l'indifférence ! Vous aussi vous
allez essayer de savoir si vos pouvoirs
sont plus forts que le bagne, c'est-à-dire
que moi ?... Vous n'êtes pas bavard !
Cela vous irrite de me voir capable de
m'exprimer posément ?...

Vous vous dites que j'ai la chance
d'être le maître de mon temps, donc de
mon langage ?... *(il s'énerve de plus en
plus)* : Le Président de la Cour d'Assise
devrait parler comme moi, et l'Avocat
général : c'est que ni eux ni moi ne
sommes des coupables... Vous pensez
que je divague ?... Que le soleil est responsable ?... *(il a un soudain frisson dans*

tout son corps, et, tourné vers l'Economie)... Ça y est, il est tombé. Préparez mon châle. *(Tout en descendant l'escalier dont j'ai parlé plus haut)* : Il faut se dépêcher, la nuit vient. Je risque la crève si je reste à la brume.

(A Forlano) : Vous, vous êtes jeune, et déjà repéré par Dieu. Et vous pensez que ma royauté sur des morts me permet l'éloquence ? Puisque vous êtes malin – vous jouez au malin – vous allez essayer de me désarçonner, de me contredire... Vous allez tenter votre chance, mais je suis là, ne l'oubliez pas, je suis là pour vous contrer, et pour commencer, puisque je suis le maître, je prends prétexte d'une révolte sur le bateau qui vous a amené ici, et dont je vous veux responsable, pour vous envoyer tout de suite en prison : car ici, dans le bagne, il y a encore un autre bagne. *(aux gardiens)* : Emmenez-le au mitard jusqu'à nouvel ordre !

(Les gardiens se saisissent de Forlano –
chacun par un poignet, et l'entraînent à
droite. Le Directeur s'enveloppe frileuse-
ment dans le châle que lui tend l'Eco-
nome, et qu'il a ramassé sur l'accoudoir
du fauteuil directorial).

LE SOUS-DIRECTEUR *(admiratif)*
Vous, au moins, vous ne songez pas à
vous ménager. Vous êtes un grand, un
très grand ténor, mais jamais cette petite
brute ne le comprendra.

L'ÉCONOME
Le voyage, en général, ne les arrange
pas.
(Quand Forlano est sur le point de sortir
de scène, à droite, il se retourne).

FORLANO
Monsieur le Directeur...

LE DIRECTEUR *(étonné et irrité)*
Eh bien ?...
(Forlano, forçant sur ses jambes, lâche
un pet qu'il continue avec sa bouche).

FORLANO

C'est moi qui passe !

LE DIRECTEUR *(hurlant)*

Au mitard ! Mais d'abord conduisez-le à Monsieur Marchetti, et qu'il s'en occupe !

(Forlano est sorti avec les gardiens. Les deux branches du mur se rapprochent pour former l'angle obtus du début, cependant que l'escalier s'est escamoté. Les ombres changent de direction. En haut du chemin de ronde, viennent de s'élever trois guérites où veillent trois sentinelles noires. Elles ont une mitraillette à la main et surveillent : l'une ce qui est censé être le désert, et les deux autres le bagne).

KOMAC *(surveillant le désert)*

Mes camarades,

(d'une voix sourde)

Le rose vient d'éclater !...

MOKA ET TEROR *(ensemble)*

Oh !

KOMAC

... d'éclater !... il libère un bouquet vert !... *(un temps)* le vert se déchire, écume... et derrière c'est une grande nappe mauve... sur la nappe un couvert – cristal et vermeil – dressé où viendront bouffer les abbés... Oh !... le mauve s'effiloche, écume, et dessus c'est le noir...

TEROR *(sec)*

Il n'y a pas d'abbés dans le ciel.

KOMAC *(même ton)*

Les couleurs m'emmerdent. J'aime la musique. Je voudrais danser...

TEROR *(sec)*

La nuit vient ou ne vient pas ?

KOMAC *(même ton)*

C'est le noir. Je ne distingue plus que la carcasse ajoutée, gothique des bandits évadés, morts de soif et de faim, privés de framboises, privés de groseilles, leurs os nettoyés par les hyènes. Le désert est vide, comme les squelettes.

TEROR *(sec)*
Est-ce que quelque chose bouge ?

KOMAC *(après une hésitation)*
Rien.

TEROR
Les étoiles.

KOMAC
Immobile.

TEROR
La lune ?

KOMAC
Immobile. *(un temps)* Et vous, de votre côté, qu'est-ce qui se passe ? Je ne peux pas quitter des yeux le désert, j'ai déjà ma charge d'émeraudes, de perlouzes. De votre côté ?

MOKA
(regardant du côté de la salle,
qui est supposée être le bagne)

Encore rien. Le bagne est assoupi. Il couve. On va se marrer. De l'œuf va sortir un nœud de serpents. Y aura de la musique et de la danse. Rigoler – rigoler on va rigoler et tout on va te le raconter. Les portes des dortoirs ont été verrouillées... Chaque bagnard est dans son box, au pied de son matelas... il enlève sa limace, l'accroche à un clou, et tout nu, comme un ver, il se couche...

KOMAC
(sans quitter des yeux le désert)

Et qu'est-ce qu'il fait ?

MOKA

Semblant.

KOMAC

Comme d'habitude. *(un temps)* Et comme tout le monde.

MOKA *(blasé)*

Tous les soirs c'est pareil, et ça m'ennuie. Ce qu'ils font c'est trop petit... c'est trop lent. Je ne vois que des détails, et jamais l'ensemble.

KOMAC

Ils ne se font vraiment pas beaucoup de mal. Moi qui aime tant rigoler...

FUROR
(regardant d'une façon plus aiguë)

C'est le moment : Black et Frisson sont de ronde avec Monsieur Marchetti : c'est eux... c'est bien eux... ils traversent la cour du Sud... Oh le joli cortège !... d'abord deux gardes en culottes de satin bleu et bas de soie jaune...

KOMAC

Tu déconnes !

FUROR *(sec)*

Comme toi tout à l'heure avec les lampadaires dorés, les couverts de vermeil.

Si tu veux la vérité, la voici : Marchetti accompagne Santé Forlano. Black et Frisson les suivent porteurs de mitraillettes. Ils traversent la cour du Sud. Ils vont entrer dans le dortoir B. Forlano a l'air de s'en foutre.

KOMAC

Tu déconnes.

FUROR *(une main sur les yeux)*

Il s'en fout. Et toi regarde le désert et contente-toi de mon récit. Forlano marche légèrement. C'est ce soir qu'on le baptise. Ils montent l'escalier du dortoir B... Ils ouvrent la porte... Les voilà dedans... Dans le dortoir tout le monde fait semblant de pincer, mais tout le monde est impatient... Chaque bagnard va s'approcher de la grille de son box pour faire connaissance avec le nouveau.

(Il se tait. Du fond de la scène paraît Marchetti. Trente ans environ. Très beau. Il conduit Forlano, pieds nus dans ses

sabots, le chapeau à la main. Derrière viennent les deux nègres, l'un tenant une mitraillette, l'autre une lampe électrique. A la fin de la scène précédente, les deux morceaux de mur de ronde ne s'étaient pas tout à fait rejoints, de sorte qu'entre eux il y a une sorte de fissure, un passage, invisible au public. C'est là qu'apparaîtra chaque bagnard – à tour de rôle – pour apostropher Forlano. Afin de donner l'impression de défiler devant les lits, le groupe marche sur place, sans avancer, imitant la marche. Quand apparaîtra un bagnard, Frisson l'éclairera avec sa torche électrique : le groupe alors s'immobilisera. Le bagnard s'étant retiré, le groupe reprendra sa marche feinte, dans une ombre approximative. Les nègres garderont la main sur les yeux.)

MARCHETTI
(poussant Forlano devant lui)

Va plus vite... *(le retenant)*... Va moins vite *(Trois fois)*... Le bagne se vit sur un rythme à lui... Il y a encore des nerfs d'acier dans tes pinceaux... *(Ils arrivent à la hauteur du passage entre les deux murs. Frisson y pose la lumière de sa lampe. Tous sont immobiles. Dans ce passage apparaît Funck, en chemise.)*

FUNCK *(regardant Forlano)*

Salut! *(il pousse le cri de la chouette et il rit)* Tu as une mère, toi, pas de doute, je la vois sur ta gueule. Rassure-la, ta mère qui est sur toi, ici il y aura tout ce qu'il faut pour la satisfaire *(immenses et nombreux éclats de rire en coulisse)*... à moins qu'elle soit goulue, goulue, goulue, des pères tu en auras des centaines... *(même rire en coulisse)*... mais dis à ta charmante mère que ta boule rasée n'est pas sexy. Une perruque c'est mon hobby. Regarde. *(il vient de prendre derrière lui une longue perruque qu'il pose sur sa tête, et il prend un air coquet)* Fée, je suis fée! C'est fait avec des vieux bouts de ficelle que j'effiloche, et mon entrejambe c'est pareil, mire... *(il relève sa chemise et l'on voit une énorme touffe de ficelle effilochée)* Si tu la veux frisée *(même rire que plus haut)*... tu me le diras, ou si tu la veux raide et lustrée... Oh que ta mère sera belle, avec ma belle ficelle !... *(il rit et disparaît. Frisson a éteint sa lampe).*

MARCHETTI *(à Forlano)*

(Dans la demi-obscurité, le groupe – sentinelles, Marchetti – Forlano – marchent sur place. Le visage de Forlano reste indifférent. A nouveau Frisson allume sa torche. Apparaît un autre bagnard.)

Avance... encore...

PÉRITCH *(méchamment et très vite)*

Que tu sois en une seule personne la Vierge et son chiard, on s'en torche *(méprisant)* A bien te regarder tu n'es pas grand chose, ni ça ni autre chose. C'est du mou... *(à Marchetti)* C'est du mou,

ton jésus, marquis, fous ça dans la tinette avec les étrons chauds.

*(Il disparaît comme le précédent, même
jeu de scène du groupe, marchent sur
place, éteignent et allument la torche).*

MARCHETTI *(à Forlano)*

Avance... avance encore...

(Apparaît un autre bagnard).

GLOSTER
*(une soixantaine d'années. Tout ridé.
Enveloppé dans un drap comme dans
un suaire. On lui suppose un corps
énorme. Il tend la main comme pour
toucher Forlano. Il parle d'une voix très
douce et très mélodieuse)*

C'est vrai que tu es mou, doux et tiède
comme une merde chiée dans la
minute. C'est vrai. *(on entend en coulisse
des rires nombreux et très doux)* Et c'est
comme ça que tu nous plais. Fumante
et belle comme la merde, lâchée par un
surveillant-chef. Qui est venu te déposer

devant ma porte ? *(il hume)* Houh ! tu sens bon ! *(même rire très doux en coulisse)* J'aurais voulu voir se déplisser le cul qui t'a pondue... *(on entend un soupir très doux poussé par cent poitrines)* Et puis après se replisser... *(même soupir, Gloster disparaît. Frisson éteint sa lampe).*

MARCHETTI *(à Forlano)*

Avance... avance encore...

(Même mouvement de marche sur place. Le visage de Forlano est toujours indifférent. Dans un grand bruit fait de nombreux cris, bondissant, apparaît un autre bagnard. Environ vingt-cinq ans, il est nu, mais tient devant son sexe sa chemise comme une serviette, des deux mains.)

DE XAINTRAILLE
(d'une voix vibrante)

Moi, De Xaintraille, de noble famille, je te dis : ouvre ta gueule, que je la remplisse de molards millénaires ! Ouvre. Ou comme tu veux, je me charge de t'en enduire de la tête aux pieds. Et tout luisant, gluant, poisseux, mouillé, radieux...

MARCHETTI *(à Forlano)*

Avance... avance encore...

(De Xaintraille disparaît. Le groupe marche sur place. Apparaît un autre bagnard).

LEROY *(en chemise, et très calme)*

Alors, on est venu voir de près comme c'est fait, un forçat ? On fait sa petite descente aux Enfers ? On vient humer le roussi. Personne ici n'a fait mieux que toi, mais personne moins bien. On dit que tu nous arrives porté par un mât d'artimon, jeune envergué. Si tu commences ta procession suivi par...

(La lumière s'éteint sur le plancher de scène. Le groupe avance un peu, en direction du public, puis il s'immobilise, face au public. Sur le chemin de ronde,

les sentinelles vont commencer une action invisible).

FUROR

Ils viennent de fermer la porte du dortoir B... Ils sont dehors, dans la nuit. Frisson et Black font semblant de les protéger avec les mitraillettes... mais toi, que dit la nuit, que dit le désert, les bornes signalisatrices à infra-rouge, que disent-elles ?

KOMAC *(regardant le désert)*

Pas âme qui vive !... Comme la fourrure d'un chat, la nuit crépite d'électricité... Tout s'inquiète... Tout est pointe, acier... mais rien ne bouge. Il fait noir... Où en sont-ils ?

FUROR

Nous traversons la cour du Sud. J'entends sous nos pieds le bruit du sable. Marchetti a posé sa main sur l'épaule du forçat la plus proche de lui... sa main se déplace et son bras entoure les deux épaules du forçat...

KOMAC

Tu déconnes !

FUROR

Nous approchons du dortoir C... Marchetti fait tourner autour de son doigt la clé du dortoir... il met la clé dans la serrure. Bien huilée... bien huilée, la porte ne grince pas. Le cortège avance lentement, au son des orgues...

KOMAC

Tu déconnes !

(Le groupe – Marchetti, Forlano, Black et Frisson – a fait demi-tour, et tout doucement, se met en marche tournant cette fois le dos au public. Arrivé à la hauteur de la fissure dans le mur de ronde, même jeu de scène que précédemment, à l'apparition de chaque nouveau bagnard. Mais le public verra toujours le groupe de dos.)

Les Victimes

IV

Dialogue
de la Lune
et du Soleil

LA LUNE *(un bandeau sur l'œil)*

A n'en plus finir ! Mon rôle est d'allonger indéfiniment l'ombre immobile des objets. Elle s'inscrit dans la pâleur de ma lumière. Et ma lumière est ronde. Rien ne bouge... Sous mon œil la terre tourne... Le bagne vit en silence... Bien que sourde, ma lumière écoute... Elle est une immense vieille qui enregistre le bruit le plus sourd... Roger, la petite donneuse cueille... recueille... effeuille... à voix basse... Vu d'ici, le bagne a la douceur d'une taupe... Dans sa tombe Rocky crache... il pleure... il vieillit... Mon rôle est de confondre le temps, de confondre les nuits...

LE SOLEIL *(vaillamment)*

Moi les jours de les nommer ! Chacun de mes rayons les marque, les précise, les anoblit. Aucun jour ne ressemble au précédent. Et chacun a son nom. Je vous rythme. Ma première flèche allume l'intelligence et – prodige ! – l'éteint du coup ! A partir de moi le bagne pense. Il se pense sans rêver. Il s'active vers le bagne. Je suis le soleil et j'astique mes flèches. Ferrand je lui ai donné l'idée de rejoindre son atelier et de travailler à la forge qui de tringle : midi. Le Directeur examine l'état de compte que lui présente l'Econome. Un sou est un sou, un jour est un jour, aussi précisément. *(triste)* Et c'est déjà la nuit qui vient...

LA LUNE

Oui. Pour obtenir cette lumière toujours sereine – mais implacable, je dois nettoyer ma gamelle. Toujours en rond... dans le même sens. Sinon je diffuserais une lumière trouble et j'enregistrerais de faux indices. Je dois être cette immense oreille qui entend les soupirs de Rocky... Je l'entends. Il crache... il se retourne... ses couvertures bougent... J'entends le pli qui tombe sur ses pieds sales...

Rocky est appuyé contre le mur... il respire par le nez... l'air passe à travers les poils des narines... Personne ne cherche à s'évader... L'aumonier s'étonne du sens du mot aumonière... Il a envie de pleurer... Il dit : « L'aumonier n'est pas le mari de l'aumonière, l'aumonière n'est pas... Mon bras est las de nettoyer en rond ma gamelle, et la fatigue d'une nuit... »

LE SOLEIL

Sonnailles, carillons ! Les fleurs se tournent vers moi. Elles me suivent du regard. Je nettoie le temps. Je m'oblige à scintiller. Le plus beau. Le plus beau jour de notre vie c'est aujourd'hui. Vers huit du matin cramoisi, apoplectique, un bagnard tombe. Je manque le jus comme je veux. Par un acte. Même la paresse est active. Ils le savent bien. Les Nègres du corps de garde, que la paresse est active quand je darde. *(il regarde son bracelet montre)* A midi et demi le Directeur s'évente. Il digère ? A sept heures du soir, le soleil tombe, ... en poudre...

LA LUNE

A la verticale aisance des cyprès j'oppose la confusion des lianes. On coule, on rampe. Les minutes, les heures se chevauchent. Le temps est élastique. Il s'étire, il s'allonge, il rétrécit. Mic-Mac. On fume. On bande. On somnole. Le courant électrique circule dans les fils qui ferment l'enceinte. Rocky vient de chier. Il s'accroupit dans son coin. Il sort sa main de sa couverture... il étend son bras... il touche le mur... il caresse le portrait parlé de l'assassin :

front moyen

nez moyen

bouche moyenne

Une masse d'ombre vient de s'ajouter à la masse totale des nuits. Cette nuit qui passe est à la fois toutes les ténèbres des temps...

LE SOLEIL

Les jours passent et ne se ressemblent pas. L'histoire s'écrit par journée, elle se décompte en jours. *(dans un cri)* tous glorieux ! Ferrand forge une bague. A dix heures il ira nettoyer le couteau, son outil, car demain matin on travaille. A trois heures – trois heures ! La lumière est triomphale. Le bagne tout entier sait qu'il s'est éloigné des rivages où la femme était puissante. Ici rien qui doivent la rappeler. Jamais de baptêmes ni de mariages par l'aumonier. Le jour est un mâle tout entier dans sa solitaire et stérile érection...

LA LUNE

Je suis toute la féminité absente, laissée sur les anciens rivages, dit la nuit. Les forçats se coulent dans mon ventre noir, creux, plein, blême. Chaque nuit est engrossée. Les forçats oublient leur âge et leur agonie s'accélère. Rocky tousse... il crache, mais moins loin que

la nuit précédente... il caresse le portrait
de Forlano, un peu plus effacé....

LA LUNE
La nuit ouvre son cul immense où
vient s'enfouir le jour oublié...

LE SOLEIL
Le jour.

LA LUNE
La nuit, dévoreuse...

LE SOLEIL
Un jour passe...

LA LUNE
La nuit demeure.

LE SOLEIL
Les jours passent.

LA LUNE
La nuit demeure.

LE BAGNE

Scénario

LES BÂTIMENTS

Le bagne est planté au milieu d'un désert, plutôt de cailloux que de sable. Ce serait, par exemple, une immense plaine brûlée par le soleil. Aucune herbe n'y pousse. La caméra doit photographier avec précision ces pierres aux facettes scintillantes et qui contiennent du mica. On doit pouvoir montrer que le bagne est au centre d'une aridité parfaite, minérale, cristallisée. Le temps y est toujours le même. Il ne pleuvra jamais. Sauf lors d'une circonstance que j'indique, il n'y eut jamais d'orages. Pas une bête non plus, sauf des mouches. A certains moments elles forment même d'épais, d'excessifs nuages noirs.

Carré, le bagne, est entouré d'un mur de ronde très épais et très haut. Aux quatre coins, quatre miradors. Les murs sont très blancs. Les ombres projetées s'y découperont avec une parfaite netteté. Aux abords du bagne, d'un côté il y a la caserne, blanche aussi, et très propre, des soldats nègres. De l'autre côté de petites maisonnettes, habitées par les gardiens. La porte d'entrée est sévère : une immense porte de fer mais noir. Des sentinelles noires y montent la garde, face, par conséquent, au désert.

A l'intérieur du bagne, il y a une série de bâtiments blancs, réguliers, rectangulaires, avec, quelquefois, une voûte, et même une colonnade. Ils sont disposés autour d'une cour centrale dans laquelle il n'y a rigoureusement rien.

Voici les bâtiments qui entourent la cour : au fond, quand on vient de la porte d'entrée, formant l'un des petits côtés du rectangle : la lingerie, le séchoir, l'infirmerie. A droite, et formant l'un des grands côtés : le mitard*, trois réfectoires, la chapelle. A gauche, formant l'autre côté : quatre dortoirs, une salle de réunions. L'autre petit côté est formé par – à droite et à gauche de la voûte conduisant à la grande porte, le greffe, les différents bureaux. Derrière ces bâtiments très ordonnés, tant au fond, qu'à droite et à gauche, il y a les différents ateliers. Ils ont la même architecture abrupte et sèche.

La cour, je l'ai dit, est un grand espace vide, crépitant de soleil. Aucun bagnard, aucune corvée ne la traverse d'une façon libre ni fantaisiste : on doit, pour aller d'un point à un autre, longer le bâtiment que l'on quitte, aller jusqu'à un de ses angles, faire un quart de tour, soit à droite, soit à gauche, et franchir l'espace vide en perpendiculaire.

Le quartier de punition – ou mitard – est composé de quatre corps de bâtiments contenant des cellules, le prétoire du directeur, et formant une cour intérieure où tournent les punis. Dans les murs intérieurs, sont creusées un certain nombre de niches contenant une stalle de pierre où, deux fois par jour, s'assoient les

---

* Pour qui ignore encore l'argot des bagnes, le mitard est le cachot.

JEAN GENET   100

punis. Le siège de cette stalle est inclinée vers l'extérieur, de façon qu'on s'y repose très mal.

La chapelle est un bâtiment rectangulaire, vide, sauf des bancs, et une table que l'aumônier, le dimanche, utilise comme autel. Les murs sont percés de petites meurtrières. Ni à la chapelle, ni aux autres bâtiments, une vitre n'est posée. Il n'y a même pas les montants de bois des fenêtres : le trou, nu, gardé de barreaux. Les réfectoires. De grands bâtiments nus, vides, percés aussi de meurtrières. Les tables sont disposées sur des rangées, face à la porte. A chaque table un seul banc, de sorte que les forçats ne sont tournés que dans une direction : vers le bureau du surveillant, à droite de la porte.

Les dortoirs sont composés, dans toute leur longueur, de minuscules cellules contenant un lit.

Quant à l'extérieur, les ateliers ont la même apparence que les bâtiments que je viens de décrire, sauf celui des sabotiers qui ressemble à un temple grec.

La salle de réunion est nue, comme un squelette.

Toutes les prises de vue doivent être faites de façon à donner l'impression que le bagne est inoccupé. L'apparition dans la cour d'une corvée, ou d'un seul forçat, apparaîtra comme un événement exceptionnel. Soit les commandements du surveillant, soit le bruit des sabots feront alors l'effet de coups de tonnerre.

Si les couleurs pouvaient apparaître, le ciel serait presque noir, les murs gris très clairs, gris perle, le sol d'un blanc pur et sec, cinglant, et le vêtement des forçats bleu pâle. Les autres couleurs seraient portées jusqu'à la débauche par les nègres, soit sur leurs visages, soit sur leurs vêtements.

LES VÊTEMENTS

LES FORÇATS – Leur costume se compose d'un pantalon de treillis blanc sans poches. Le pli, sauf de très rares exceptions, est très bien dessiné. Le soir quand ils plient leurs effets, et les laissent à la porte de leur cellule individuelle, ils prennent bien soin du pli. Les pantalons rapiécés le sont avec beaucoup d'habileté. Une évidente coquetterie a disposé les morceaux rajoutés.

Le bourgeron, assez semblable à celui des soldats en tenue de corvée, est blanc aussi crayeux et rigide. Non flottant comme la blouse des Pierrots. Toujours très propre. Les forçats l'enlèvent souvent pour travailler. Quelques bourgerons sont brodés aux manches de laines multicolores.

Le chapeau est en paille tressée très fine. La calotte en est fendue, comme celui d'un feutre mossan, et les bords, très larges, sont relevés d'un côté, comme le chapeau d'un mousquetaire. Plusieurs sont brodés de laines de couleurs, d'autres ornés de médailles ou de plaques gravées, ou de fleurs de perles, un peu comme l'était, dit-on, le bonnet de Louis XI. On le porte avec beaucoup de coquetterie. Il est retenu au cou par un lacet, de sorte qu'on peut par provocation l'enlever, le rejeter en arrière, et garder ainsi les mains libres. Il pend alors sur le dos.

Les forçats sont chaussés de sabots dont quelques-uns sont ornés de sculptures, de ciselures. Pieds nus. Presque tous les pieds sont blessés, et entourés de pansements. Dès qu'un pied est au repos, les mouches accourent. Vraiment, le détail de ces mouches doit nous irriter, nous aveugler. Il faut qu'il apparaisse grossi mille fois, et leur bruit amplifié autant. Les mouches sont accrochées à un filet de peau séché, au coin des paupières, aux croutes teigneuses des forçats et jusqu'à leurs lèvres.

LES SURVEILLANTS – Ils portent un uniforme blanc, col officier, trois boutons de cuivre. Leurs chaussures également sont blanches. Baudrier de cuir. Révolver. Casque colonial.

LE DIRECTEUR – Costumes européens très modernes. Elégant ? Recherché ou non ? Nous en déciderons plus tard, quand nous l'aurons vu agir, entendu parler.

LES NÈGRES – Les soldats noirs portent avec audace, avec folie, un uniforme bleu sombre, qui rappelle magnifiée la tenue des gardes mobiles. Bandes molletières. Ceinturons de cuir et cartouchières. Ils quittent rarement les fusils toujours armés de la baïonnette. Chechia rouge, quelquefois brodée d'or.

Dès qu'ils sont en cellule, soit au mitard, soit dans le corps du bagne, les forçats sont entièrement nus. Sans vouloir toutefois les rechercher, nous n'éviterons aucune des déformations des hommes devenus des

bagnards* : genoux cagneux, gros ventres, seins tombants, etc.
Les bagnards ont les cheveux ras. La barbe aussi.
Presque tous sont tatoués. Plusieurs le sont de façon absolument identique.
Les bagnards n'ont pas de mouchoir. Ils se mouchent en appuyant sur une narine, puis sur l'autre. Les doigts claquent, la morve qui s'y collait étoile un mur blanc. On est autorisé à sortir du rang – sans en abuser – pour aller écraser du pied, si elle tombe par terre, sa morve.
Nous n'aurons jamais l'occasion de montrer ce qu'ils mangent. Ils boivent de l'eau. Au bagne, il n'y a jamais de fête, sauf secrètes.

LES PERSONNAGES PRINCIPAUX

LE DIRECTEUR
L'AUMÔNIER
LE SOUS-DIRECTEUR
LE SURVEILLANT MARCHETTI
ROCKY
FERRAND
ROGER
SANTÉ FORLANO

---

* Particulièrement célèbres, trois bagnards, qui se sont entre eux seuls surnommés les trois frères Romains, portent tatoués, sur chacune de leurs fesses – six au total, n'est-ce pas ? – six des épisodes principaux du crime qui les conduisit au bagne.

JEAN GENET   104

LE DIRECTEUR – Il est le seul qui devra jouer la comédie, à la façon conventionnelle. Physiquement, j'aimerais qu'il se rapprochât du comédien anglais Charles Laughton. Je dis cela parce qu'il aura à s'affronter à un bagnard très jeune, plutôt gracile – mais non sans force – et très gracieux. Sa présence pesante, cruelle, j'aimerais qu'elle fut contrée par un être acéré et fin. Ses gestes sont donc très lourds, ses rares colères – feintes – grondantes mais comment dire, enveloppantes. Il doit montrer – et ce physique moite et massif, doit y aider, une sorte de douceur cruelle. Son autorité naîtra autant de la certitude d'avoir un corps imposant, que de sa fonction. Il semble dormir. Ses yeux sont souvent mi-clos. Il a des bagues énormes. Les bagues d'Oscar Wilde ou d'un mac gitan. Il marche à petits pas. Cet homme ne devra jamais être ridicule. Il est sûr d'avoir des cuisses, assises certaines sur lesquelles il repose. Il les touche souvent. Il les expose même, en y étalant ses mains, petites, douces, lourdes et baguées.

L'AUMÔNIER – Rien ne s'oppose à ce que l'aumônier corresponde à l'image du prêtre macérant dans la grâce et dans la charité. Pourquoi, sinon, serait-il ici ? Il a donc une apparence ascétique. On pourra le découvrir parmi les paysans basques. J'aimerais qu'il apportât dans ce bagne les regrets brûlants – mais, il peut être Espagnol, cela m'est égal. Cela dit, qu'il présente donc l'une ou l'autre caractéristique des prêtres, peu importe. Qu'il soit mystique, passionné, parfois théologien, raisonneur, ou ce qu'on voudra. Dans les limites de son rôle précis et de son physique qu'il puisse évoquer n'importe quel type de prêtre. Il se vêt de noir, et très décemment. Je ne lui supporterai aucun pittoresque marqué.

LE SOUS-DIRECTEUR – Il n'aura que quelques répliques à dire et ne paraîtra qu'en de rares fois. Ses intonations sont sèches, sa manière brutale. Pourquoi ? Le sais-je ? Peut-être parce que je veux onctueux le Directeur et qu'en face de tant d'onction on se doive durcir. Son physique ? Quelle importance ? N'importe quel physique peut être sous-directeur d'un pénitencier.

LE SURVEILLANT MARCHETTI – Marchetti, au contraire des autres, m'intéresse beaucoup. Comme c'est celui qu'on va tuer, comme il sera à la fin le tortionnaire et l'ami des forçats, son apparence devra être remarquable. Il a environ 35 ans. C'est quelque chose comme le bellâtre rengagé. Dans l'armée coloniale, on rencontre quelquefois ces sergents-chefs ou adjudants qui sont à la fois sévères pour la forme, et maquereau à la ville. Lui non plus n'aura pas à jouer. Son comportement sera strictement délimité par un certain nombre de gestes que n'importe qui peut accomplir – ces gestes doivent être des signes –. C'est parce qu'ils seront exécutés par *cette* apparence physique, que ces signes perdent leurs forces et donnent vie au personnage. Je veux un homme grand, bien bâti, larges épaules, belle démarche (encore que celle-ci sera modifiée par moi) mains épaisses et larges, un visage régulier, à la fois dur et veule, prêt à l'action d'éclat et à la capitulation.

C'est le type du héros représenté par les affiches pour le recrutement dans la marine ou la Légion. On peut découvrir ce genre d'homme parmi les gendarmes, ou les gardes-civils, où le port des bottes les attire. Il peut ne s'être pas complètement débarrassé d'un accent paysan. A toute son attitude, on voit qu'il se sait posséder : un entrejambe, des cuisses, un torse, des dents, des cheveux bouclés, et une connaissance parfaite du tango. Sa nonchalence est feinte. Où donc l'aurait-il apprise ? Dans les films, sur des acteurs qui l'apprirent sur lui.

ROCKY – Le choix de l'homme chargé de le représenter devra se faire avec beaucoup de soin. Si l'on cherchait par exemple parmi les camionneurs ? Je le sais d'une cinquantaine d'années. Ses cheveux sont rasés, mais ils doivent être presque blancs. Ils furent blonds et fins, c'est-à-dire qu'ils ne sont pas plantés droits sur un front bas. Sa tête est donc ronde et lourde. Les traits marqués, graves. Le corps est bien charpenté, massif. Sa voix est sourde, mal timbrée. Il peut être polonais. Il me serait agréable qu'il en eut conservé l'accent et dans son vocabulaire quelques mots (qu'il prononcera dans la colère ou dans sa plus grande misère, quand il cogne, par exemple, contre sa porte le matin de l'exécution de Forlano). Sa démarche sera très lente et très lourde. S'il le faut qu'on mette du plomb sous ses sabots, et sous son pantalon de toile qu'on lui en fasse porter un autre, de façon à épaissir son allure et sa silhouette. Il est d'une calme autorité. Très viril. Lui non plus n'aura pas à jouer. Il devra faire des gestes non révélateurs de sentiments : je veux dire, non expressifs. Il n'aura jamais à simuler l'émotion, ni l'amour, ni l'amitié, ni la haine, ni, etc. ni même la colère et le désespoir. Ce sont ses actions – ou certains de ses gestes – incompris de lui – qui nous renseignent sur des sentiments qu'il ne sait même pas éprouver. Je veux qu'il en soit de même pour les autres bagnards. L'aventure dans laquelle je les plonge ne les étonne pas, mais ils la vivent en actes, et en gestes, non en réflexions. Peut-être ainsi échapperai-je au danger de continuer un récit réaliste selon les méthodes habituelles où chaque personnage *sait* ce qu'il exprime au moment qu'il l'exprime, et *sait* la résonance que son expression *doit* avoir sur son protagoniste et sur nous. Contrairement à Marchetti, Rocky ignore tout de lui-même. Aucune de ses attitudes n'est dédiée aux autres – que ce soit à nous ou à ses partenaires. Gestes et attitudes, nés de lui, ne s'adressent qu'à lui.

Sa façon de cracher, en trois temps : d'abord il râcle le mollard dans son nez, il le récupère au fond de sa gorge, puis il l'expédie en un jet bref et sifflant, presque toujours contre un mur, d'où lourd, épais, il coule très doucement mais inexorablement.

FERRAND – A dire vrai, je le vois assez mal, toute mon attention s'était fixée d'abord sur Rocky, à qui, d'ailleurs il est permis qu'il ressemble. Mon dessein n'est pas de « camper » un certain nombre de « types ». L'essentiel c'est qu'il ne soit pas trop dissemblable de Rocky, de façon qu'ils puissent l'un et l'autre avoir les mêmes préoccupations, d'où cette rivalité qui les dresse l'un contre l'autre, puis l'amitié qui les unit. Même âge à peu près que Rocky. Peut-être plus jeune légèrement (45 ans ?) Grand et massif comme lui. Le visage peut être plus beau, au sens banal du terme. Plus doux et plus triste. Car c'est cela qu'il faudra chercher et découvrir : la tonalité d'un visage et d'un corps, très soigneusement. Surtout le sourire et le regard. Si mes personnages ont : la taille, la carrure, le regard et le sourire, je me charge du reste, ne leur demandant d'accomplir qu'une série de gestes que n'importe qui pourrait faire, mais une série de gestes minutieusement mis au point par moi. Il n'est pas impossible d'ailleurs que cette façon de travailler enlève toute spontanéité au récit. Je préfère la rigidité au stupide naturel sans art et sans trouvailles.

Mon Ferrand pourrait être découvert dans une mine du Nord. Il aura l'accent qu'on voudra – qu'il aura. Peut-être aura-t-on remarqué que j'écarte l'accent parisien ? Toutefois je garde l'argot.

ROGER – C'est mon petit mouchard. Il doit être très joli, très leste, très subtil, malin, rapide, équivoque. Sûr de son charme, mais souriant de le posséder. Il pourrait être Napolitain. Lui non plus n'aura pas à jouer – c'est-à-dire à simuler un sentiment – mais à accorder, selon mes indications un mouvement des yeux avec un geste des mains ou avec un sourire. La question n'étant jamais de savoir quels sentiments sont reflétés, sont peints par ces actes, mais de supposer quelle émotion ces gestes accordés ou contrariés vont provoquer chez le spectateur.

LE BAGNE

Roger à 20 ans. Environ. Il doit être mince. Visage plutôt rond. Il sait qu'il possède sa jolie petite gueule et ses fesses. Il est plutôt nerveux. Son museau est plissé comme celui d'un chat. Il ne sera antipathique que par son activité, non par son apparence.

FORLANO – Enfin Forlano ! De toute évidence, celui qui doit lui prêter son corps – plus exactement être lui durant deux mois, sera un Slave ou un Germain. Il aura 22 ou 23 ans. Dans les environs de Cracovie on rencontre des bergers qui ont cette allure et ce visage. Des cheveux blonds, des yeux très clairs, en amandes, une grâce naturelle qu'on trouve peu en France sauf peut-être parmi quelques ouvriers parisiens dont le visage, hélas, est ingrat. Naturellement, il est très beau. Au repos, son visage ne doit rien évoquer. A part sourire, et faire la tristesse, il n'aura rien à exprimer. S'il est étranger, c'est brès bien. Il articulera comme il pourra les phrases que je lui ferai réciter. Tant mieux si sa prononciation est lente et pénible. Sa voix sera sourde.

Personne ne devra avoir un visage en relief, c'est-à-dire un visage aigu, qui se dirige vers l'extérieur, mais un visage aux traits ramassés, repliés, qui s'enfoncent vers l'intérieur, bref, mongoloïde : les yeux enfoncés, le nez écrasé. Je le veux d'abord parce que ces visages sont plus proches, en apparence, de ceux des enfants. Or, s'ils furent des hommes, mais le furent-ils jamais ? – mes héros, vivent mollement dans ce ventre sûr qu'est

JEAN GENET   110

le bagne, ne se tournent pas vers le monde : ils se replient au contraire, en eux-mêmes. Ensuite, des visages aigus, accidentés, accrocheraient trop, à leurs aspérités : les événements. Or, si comme l'huile, les événements ne glissent sur ces visages, c'est une révolte qu'ils vont tenter. Qu'ai-je besoin de la description d'une révolte pour m'exprimer ?

D'un bout à l'autre de ce récit, les visages sont luisants. Il fait très chaud.

Les raisons qui m'ont fait élire le bagne comme thème essentiel furent sans doute commandées par mon désir secret de le vivre. Passons. Ces raisons étaient parfaitement sanctionnées, à moins qu'elles ne l'appelassent, par mon attitude devant l'œuvre d'art, que je veux close, monolithique, sans prolongement dans l'univers social, morte enfin. On ne saurait donc, ici, chercher une résonance sociale – soit une revendication, soit une justification. Comme je veux que chacune des parties de l'œuvre concoure – avec les images qui lui sont propres – à une fin presque dissolvante – mes personnages et les gestes tentent à la fois de rendre vivable – c'est-à-dire moral – un bagne parfaitement clos – et admissible un récit dont la destination ne concerne personne.

Outre l'avantage d'un tel choix, en voici un deuxième. Il serait fastidieux de reprendre mes insultes à l'égard des comédiens et d'en redonner les raisons, je dirai donc très vite et très brutalement mon dégoût pour leurs gestes et les gueules usés par l'abus d'expressions toujours imitées, toujours feintes et jamais efficaces. Leurs faces, les traits savonnés ont l'ennui de ceux des vieux garçons de café ou des maîtres d'hôtel. En les utilisant ici j'aurais obtenu un bagne composé d'acteurs ! Mais qui pourrait croire que ces misérables loques auraient eu un jour la passion, l'égarement, ou les accidents d'une vie difficile où le crime est possible ?

Or, ce que j'attends d'acteurs pour incarner mes personnages ce n'est pas qu'ils jouent, mais qu'ils accomplissent simplement, dans les limites de leur apparence physique et de leurs tics singuliers, une série de gestes très simples comme : marcher, courir, siffler, etc. Ils n'auront pas à feindre. Qu'on choisisse donc où l'on voudra de tels personnages sur quelques-uns, si l'on reconnaît au passage les traces d'une formation, professeur, officier, juge, matelot, danseur mondain, ténor, etc., cela m'est bien égal, le bagne étant peuplé de professeurs, d'officiers, de juges (assez peu), de matelots, de danseurs et de ténors. Mais personne n'aura à feindre d'être ou d'avoir été cela. L'univers où la faute est possible m'intéresse peu, mais comment peut-on vivre dans l'univers où le mal agglutine les êtres et les actes ?

Sur la façon de filmer, j'aurais à donner aussi quelques indications. Les gros plans seront très sombres. Non les gros plans de visages, mais ceux de gestes qui, sans l'impudeur de la caméra, nous resteraient ignorés. En effet, l'image de certains gestes pourra – bien sûr nous révéler aussi la psychologie de mes acteurs, bien qu'au fond, elle m'intéresse assez peu – provoquer une émotion chez le spectateur. Donnée en une particulière circonstance, une poignée de mains peut nous émouvoir terriblement si notre œil enregistre le grain de la peau, un angle noirci, une verrue, et sur la paume, la caresse furtive d'un doigt que nous n'aurions pas vue – au théâtre par exemple – et que les personnages ignorent peut-être.

Le cinéma est en effet essentiellement impudique. Puisqu'il a cette faculté de grossir les gestes, servons-nous d'elle. La caméra peut ouvrir une braguette et en fouiller les secrets. Si je le juge nécessaire, je ne m'en priverai pas. Je me servirai d'elle pour enregistrer, sans doute, les frémissements d'une lèvre, mais aussi la texture très particulière des muqueuses, leur humidité. L'apparition grossie d'une bulle de salive au coin d'une bouche peut apporter, dans le déroulement d'une scène, au spectateur, une émotion qui donnera à ce drame, un poids, une épaisseur nouvelle.

Je pense enfin que tant de précision doit apporter à force de réalisme, une sorte d'irréalité dans le drame, et de poésie à force d'évidence. Naturellement, mais on m'a compris, il ne s'agit pas de prendre et grossir n'importe quel détail, ce serait trop simple – mais de ne pas refuser une des facultés essentielles de la caméra. Enfin, il faudrait qu'on obtienne une esthétique, non un scandale ce que l'on nomme trivial ou vulgaire, mais en l'utilisant. Ajouter que le monde que je décris, n'ayant aucune des ressources d'une civilisation où la fuite est possible, il sera bien obligé de regarder en face ses données et de les utiliser toutes. A des fins que lui seul envisage.

On voit déjà que je renonce aux truquages, aux maquillages, aux perruques, etc. Car si je veux – pour provoquer une certaine émotion – grossir une tête, c'est pour rendre sensible la désolation d'un crâne rasé, mais non l'imposture d'une perruque.

Je ne pense pas que le contenu de ce film permette aux spectateurs de s'identifier avec l'un des personnages – On sait que c'est un phénomène courant : dans la salle obscure chacun se projette dans le corps de l'une ou de l'autre vedette – en tous cas, s'ils le faisaient, il faudrait que peu à peu j'arrive à les entraîner assez loin en eux-mêmes, où le dégoût d'eux-mêmes deviendra inévitable.

On l'a compris, je laisserai aux acteurs les façons particulières de parler : tics de prononciations, accents nationaux, etc. Ce sera à moi de les utiliser. Il ne me gênera pas qu'un personnage, visiblement Polonais, utilise l'argot.

Les bruits. Ici encore j'utiliserai les bruits non en fonction d'un réalisme banal, mais afin d'obtenir par eux une certaine émotion. Il m'est indifférent qu'une porte grince quand on l'ouvre si l'on argumente qu'une porte grince quand on l'ouvre. Elle *doit* grincer si ce grincement *doit* – accompagnant un autre bruit ou un geste – provoquer une certaine émotion. Je veux enfin isoler des bruits, et les grossir, comme j'isole des gestes. Par exemple, quand Rocky et Ferrand se roulent par terre en feignant de se battre, on entendra, comme tout près d'eux, la voix du surveillant qui, en réalité, est assez loin.

Il va de soi que seuls les bruits logiques – c'est-à-dire possibles dans cet univers – seront utilisés. J'ai besoin, au réveil, du chant du coq, mais je montrerai le clairon imitant le chant du coq. La source du bruit ne restera jamais mystérieux. A ce propos, j'indique encore qu'il faudra éviter de laisser le spectateur dans l'ignorance de ce qui se trouve. Il doit être au courant de tout. C'est sans doute me priver d'un des ressorts du cinéma traditionnel, le suspense, mais j'y tiens, comme à la prunelle de mes yeux.

Aucun rappel du monde extérieur, ni de la vie passée des bagnes, ne sera fait. On sait seulement – et euxmêmes le savent – qu'ils n'en sortiront que par le cimetière.

J'aimerais utiliser le moins possible les mouvements d'appareils. Changer le moins possible l'angle des prises de vue. Plongées ou contre-plongées sont à bannir. A moins d'urgence. Peut-être est-il préférable de choisir, une fois pour toutes, l'œil du spectateur comme lieu idéal pour la caméra. Je sais qu'on peut craindre une

LE BAGNE

monotonie dans la présentation. A nous de la faire oublier par la nécessité des choses montrées.

Les nègres, eux non plus, ne jouent pas. Je veux, des Africains dont les caractères sont très accentués : larges nez, lèvres épaisses, joues tailladées, de larges et profondes balafres. On choisira qu'ils s'expriment, s'il se peut, dans la langue africaine la plus gutturale. Dans ce film il semble que tous ignorent le français.

Enfin, il va de soi qu'aucun des accidents proposés par la réalisation, ne devra être écarté. C'est en cours de tournage que nous verrons ce que nous pouvons utiliser d'un visage *pour ce* film. Ou d'un geste, ou d'une jambe, ou d'une chute, d'un trébuchement, ou d'un bout de ficelle. En tous les cas une matière devra être écartée si, à la photographie, elle risque d'être confondue avec une autre. Je veux que le spectateur sache, sans aucun doute possible, ce qu'il voit. Je veux que cela lui crève les yeux. Qu'il se meuve dans un monde sensible.
On écartera toute attitude relevant d'une esthétique conventionnelle.

Naturellement, chaque image doit donner du bagne une parfaite idée de propreté et d'ordre. Rien n'est confus. Ne pas craindre de donner l'impression que tout est étudié, voulu. J'aimerais que dans le désordre

JEAN GENET   116

même chaque objet me composant soit *fixé* dans sa particularité. A l'extrême donc, tout sera souligné. L'ai-je dit ? les cellules du mitard seront peintes intérieurement, (les quatre murs, le sol et le plafond) de noir. Dans un coin, une tinette. C'est tout. La lumière arrive d'un vasistas placé dans le haut du mur donnant sur la cour. Pas de vitres.

La cour du bagne. Simplement l'angle de deux murs blancs, presque rongés par le soleil, où les ombres sont très dures, précisément coupées, nettes. Roger est un très jeune bagnard. Son visage est doux presque tendre dont la lèvre inférieure est épaisse, lourde, ourlée comme un pétale de rose. Son corps est très élégant, à la fois fragile et incassable. Donc il est dressé seul, à l'angle de ce mur, dans un ourlet d'ombre. Il écoute quelque chose que nous n'entendons pas, puis il rit à gorge déployée, les yeux mi-clos, voluptueusement. Voluptueusement encore il mord doucement sa lèvre inférieure. Son visage est à l'ombre d'un grand chapeau de paille tressée, à larges bords, ayant un peu la forme du feutre des mousquetaires. Mais soudain son visage se ferme. Il est inquiet. On entend alors s'approcher une troupe en sabots, marchant selon une cadence lourde. Roger le découvre, sourit, et baisse les yeux : son crâne est rasé. Encore soudain, capable d'assassiner toute la douceur de ce visage, effleure un sourire hypocrite, à quoi répond aussi violent, aussi redoutable le visage du surveillant Marchetti regardant sévèrement dans la direction de Roger. Marchetti a une trentaine d'années. Un visage aux traits réguliers mais au regard dur. Plus méchant que sévère. Il ébauche un sourire en coin, qui rencontre celui de Roger. Casque colonial. Uniforme blanc. Pantalon au pli net.

Marchetti continue sa marche. Nous découvrons alors la corvée de bagnards en sabots qu'il accompagne. Ils portent sur l'épaule des rouleaux de fil de fer barbelés.

Tous sont coiffés du magnifique chapeau de paille. Leur visage est bronzé. Tous les âges sont au bagne. Les sabots sonores s'éloignent.
Roger écoute à nouveau. Il sourit, puis il rit d'un rire de gorge. Il écoute encore : même bruit de sabots en marche. Mais vient, d'une autre direction, une autre corvée. Les bagnards transportent des piles de corbeilles, ravissantes, nouvellement tressées. Le Surveillant est frustre et âgé, mais sévère. Arrivé à la hauteur de Roger il l'interroge.

SURVEILLANT – Vous n'êtes pas au travail ?

ROGER – Si chef. Je reviens de l'infirmerie.

(Roger se détache du mur et marche d'une façon désinvolte. Arrivé à deux mètres du surveillant il soulève délicatement, de deux doigts, son pantalon de coutil au pli net. Puis il tend le pied – enveloppé de pansements mais chaussé d'un sabot très fin, délicieusement travaillé).

LE SURVEILLANT – Petite ordure ! Ça se promène à l'ombre en sabots de dentelles. Si vous ne voulez pas que je vous expédie de l'autre côté du mur, retournez à votre atelier. En vitesse.

(Le gardien et la corvée se remettent en marche.
Roger s'en va lentement dans la direction d'un grand bâtiment blanc. Puis il regarde furtivement si la corvée a disparu. Il se glisse soudain, en rasant les murs, profitant de l'ombre, jusqu'à sa place primitive. Il appelle) : Rocky !
(Venant du mur, on entend, une toux très rauque, et quelques mots incompréhensibles. Avec Roger, nous

119   LE BAGNE

étions en effet au pied du mur extérieur du mitard).
(Mais nous voici maintenant dans le couloir intérieur de
ce mitard. Tout un côté du couloir – très obscur – est
occupé par les portes des cellules. L'autre côté est un
mur nu, blanc. Au bout du couloir, Rocky. C'est un
bagnard d'une quarantaine d'années. Complètement nu.
Trapu. Massif. Fort. Le crâne rasé. Une ou deux dents
pourries. Il est debout devant un vasistas obstrué. Il tient
une gamelle de bouillie. Il en lampe une gorgée entre
chaque réplique. On entend un bruit de portes qu'on
ferme et que l'on verrouille).

ROCKY – Ils sont arrivés à quelle heure ?

ROGER – ...

ROCKY – Et lui, tu l'as vu ? Non ?

ROGER – ...

ROCKY – *(il rit)* Ça ne m'intéresse pas.

(On entend le rire de Roger).

ROGER – ...

VOIX DU GARDIEN DU MITARD – Pour toi aussi,
Rocky, y a du danger, si tu ne boucles pas ta grande
gueule.

(Le gardien du mitard apparaît à l'angle opposé du
couloir. Il ferme et verrouille une porte, puis il s'approche
de Rocky qu'il pousse dans une cellule et l'y boucle. A
la porte sont restés la gamelle de fer et les vêtements du
bagnard).

(Au pied du mur extérieur, Roger, ironique, pince et
lisse le pli de son pantalon, relève avec coquetterie le
bord de son chapeau et se dirige vers la buanderie).

(La raison pour laquelle Rocky est au mitard, n'inté-
resse pas l'essentiel de ce récit. Mais, puisqu'il est, malgré
son âge, d'une grande force, et très prestigieux dans ce
bagne, le surveillant l'a promu prévot : c'est-à-dire chargé
de la discipline intérieure du mitard. C'est lui qui règle
la marche des punis dans la cour – que nous verrons
demain).

(Dans l'atelier des sabotiers, six bagnards travaillent
avec des gouges à des établis, devant chaque fenêtre.
Dans un angle, une pile de sabots que comptent un
surveillant et un bagnard. Nous nous arrêtons d'abord
sur le gardien, puis, notre œil saisissant tout l'ensemble
de l'atelier, sur le premier bagnard. Il se penche légèrement
sur le deuxième et dit) :

PREMIER BAGNARD – T'as jamais vu sa gueule ?

DEUXIÈME BAGNARD – Non. Et toi ?

PREMIER BAGNARD – Si. Un bout de journal dans les
chiottes des gâfes.

(*Passons au deuxième bagnard) :

DEUXIÈME BAGNARD – Qu'est-ce que tu vas foutre
dans leurs chiottes ?

PREMIER BAGNARD – Cueillette des mégots.

(Troisième et également anonyme forçat).

---

* La description des bagnards j'en accorde le soin à l'imagination du lecteur. Quoique ce soit, je l'ai dit, pourrait être au
bagne où, seulement là, ce dialogue doit être dit.

LE BAGNE

TROISIÈME BAGNARD – Qu'est-ce qu'il déconne, cézigue ?

DEUXIÈME BAGNARD – Il parlait de l'arrivage.

TROISIÈME BAGNARD – Combien ?

DEUXIÈME BAGNARD – Une trentaine.

TROISIÈME BAGNARD – Y a des gros ?

DEUXIÈME BAGNARD – Un jeune mais qu'on dit un dur : Forlano.

TROISIÈME BAGNARD – Hein ?

(Le troisième bagnard, tourné vers le quatrième).

TROISIÈME BAGNARD – Ho, dis donc, Forlano est arrivé !

(Nous voici enfin au quatrième).

QUATRIÈME BAGNARD – Forlano ? C'est vrai ? Quel dortoir il sera ?

TROISIÈME BAGNARD – Ça te travaille ?

(Le quatrième bagnard se tourne vers le cinquième qu'on voit de dos. C'est Ferrand. Chacun de ces bagnards a sans doute ses particularités, mais à peine visibles. Il s'agirait de quatre hommes qui, pour le jeu, seront n'importe qui, n'importe qui en effet – sauf peut-être un comédien – pourrait un jour ou l'autre devenir ce criminel, partir du bagne et apprendre le paisible métier de sabotier. Nos quatre hommes seront quelconques, mais je choisirai avec précaution le cinquième. Ferrand, outre le crime qui l'envoya au bagne, outre son métier de sabotier officiel, en exerce deux autres : il fabrique de

*minuscules paires de sabots, grosses comme des noisettes,
et qui servent d'ornements aux jeunes bagnards qui les
portent soit au chapeau*, soit au cou comme des amu-
lettes, soit, quelques-uns – aux oreilles. L'autre métier de
Ferrand, c'est exécuteur des Hautes Œuvres à l'intérieur
du bagne. D'où ce dégoût et cet attrait mêlés qu'il exerce.
D'où sa solitude. Il a peut-être quarante ans. Très fort.
Très grand. Un peu nordique. Triste aussi).*

LE QUATRIÈME – *(à Ferrand)* Oh, Ferrand? Paraît
que Forlano est arrivé. Tu sais qui c'est? Il en a
descendu trois. Ça sera sûrement du gibier. Tu peux
affûter la coupante.

*(On entend un ricanement. Ferrand se retourne. Il
cherche du regard celui qui a ri. Le gardien se redresse
et regarde Ferrand).*

LE GARDIEN – On travaille ou on s'amuse?

*(Ferrand, armé de la gouge s'avance au milieu de
l'atelier).*

---

* L'un de ces chapeaux est particulièrement remarquable. Découvert par un gardien sur la gentille et moqueuse tête d'un jeune
assassin voici comment il apparaît : la paille avait été blanchie
artificiellement par l'eau de javel, sans doute toute la calotte était
brodée admirablement de deux énormes bouquets de laine mul-
ticolore. Le large bord rétroussé était occupé par le corps et la
tête d'un énorme serpent brodé des mêmes laines somptueuses.
Ce qui, généralement, est le ruban, était constitué par un collier
de médailles en fer et en cuivre, forgés à la forge du bagne. A
l'intérieur de la calotte courraient le nom et le surnom du dona-
teur. En souriant le surveillant reposa ce chapeau sur le jeune
crâne rond.

LE BAGNE

FERRAND – Si y en a qui veulent me chambrer, je les attends.

(Quelque chose tombe de sa blouse. Il veut se baisser pour le ramasser mais le gardien intervient).

LE GARDIEN – Donnez.

(Ferrand ne bouge pas).

LE GARDIEN – Donnez ou je fais un rapport.

(Ferrand ne bouge pas).

LE GARDIEN – Ça va. Accompagnez-moi.

(Ferrand va prendre sa blouse. Quand le gardien a les yeux détournés, il passe très vite quelque chose au troisième bagnard puis il va vers la porte où s'est dirigé le gardien).

LE GARDIEN – Vous refusez toujours ?

(Ferrand ne bouge pas).

LE GARDIEN – *(revenant au centre de l'atelier)* Vous avez de la chance d'être avec un gars comme moi. Retournez à votre établi.

FERRAND – Merci, chef.

(L'énorme main du troisième bagnard s'ouvre tout doucement sur un minuscule sabot de bois colorié).

(Les douches. A l'arrivée de chaque nouveau convoi, tous les bagnards passent à la douche. C'est une sorte de long boyau divisé en box sur l'un des côtés où l'eau coule. De l'autre côté, dans la buée, le long du mur,

*quatre nègres, lourdement, somptueusement vêtus,
veillent armés d'un fusil avec la baïonnette. Des costumes
civils sont en tas, à leurs pieds. Dans chaque box, avec
des gestes lents, craintifs un bagnard se savonne. Les
douches sont pleines d'une vapeur très épaisse qui fait
paraître les corps d'un bleu très tendre. Peu à peu, on y
voit mieux. Par la porte du fond, entre un bagnard. Il
passe devant chaque cellule. Puis il retourne en passant
devant les soldats noirs. Il a examiné chaque bagnard
sous l'eau, mais il semble déçu. Arrivé à la porte du
fond, il se retourne et dit)* :
  Forlano, lequel c'est ?
*(Assez long silence. On entend l'eau tomber. Puis un
bagnard, se savonnant, sort de la première cabine,
s'avance et dit)* :
  Forlano ? Il est pas avec nous.
*(Silence à nouveau. Le bagnard sort comme il était
venu. On cadre sur les nègres debout, immobiles dans la
vapeur).*

*(Il faudra, en effet, que la présence des nègres soit très
intense. Leurs visages sont travaillés de profondes cica-
trices. Leurs gestes sont lourds, lents. Ils parlent une
langue incompréhensible pour nous. Autant, dans une
certaine mesure, le visage des bagnards indique une âme
en paix, un calme et un repos intérieurs, une absence de
passion, autant le visage des nègres révèle une cruauté
savante).*
(Donc, le bagne attend, espère Forlano).

LE BAGNE

(Il me faut ici inventer puis le décrire, le personnage du Directeur. Supposons-le quelque fonctionnaire cultivé selon la culture des lycées et collèges puis des Ecoles d'Administration. Il est naturellement courtois, sauf – car ce serait alors une attitude – en face des bagnards. Il a sur eux, en effet, un pouvoir absolu puisque c'est ainsi que l'imaginent les bagnards. L'étrangeté de son personnage naîtra de l'étrangeté de sa situation : le mal étant par définition anarchique, il doit instaurer dans l'univers du mal un ordre qui, ne pouvant être qu'apparent, donnera au bagne une allure irréelle. Lui-même, le Directeur, s'il est coupé du monde, s'y rattache administrativement. Enfin, c'est à l'ordre social qu'il se réfère pour établir son ordre. Toutefois de s'opposer si précisément à ce monde du mal le force à le « réfléchir »).

(Le prétoire du directeur. C'est une pièce très simple, blanche, nue. Le soleil passe par les raies d'une jalousie. Le directeur (50 ans ?) est assis derrière une table couverte d'un tapis. Derrière lui le buste de la République. A chaque bout de la table, le greffier et le sous-directeur. Ils ont chaud, ils s'épongent).

(Le directeur parle à un interlocuteur invisible).

LE DIRECTEUR – Je serai donc le plus fort. Cela vous fait sourire ? Vous êtes fort. Je ne sais qui vous narguez, moi-même ou l'autorité. Mais... laissez vos cheveux, restez tranquille. Vos boucles vont tomber tout à l'heure. Vous les ramasserez par terre ou sur vos genoux. Vous souriez encore ? *(Enfin nous découvrons Forlano, encadré de deux gardiens, et souriant, ironique. Il est jeune, grand, beau, indifférent, légèrement exotique).*

LE DIRECTEUR – Votre tentative de rebellion sur le bateau, votre tentative d'évasion, *nos* moyens de répression, vos meurtres passés et probablement vos meurtres futurs, vraiment Forlano cela vous fait sourire ?

(Forlano sourit. Il regarde... et son regard se pose sur le greffier).

LE DIRECTEUR – Greffier, montrez-lui la collection.

(Le greffier se lève. Il va à un cartonnier et il en tire un énorme album qu'il pose sur la table. Sous les mains, sous les bagues du directeur s'ouvre l'album).

LE DIRECTEUR – Approchez-vous.

(Forlano s'approche en souriant et regarde sur la table).

LE DIRECTEUR – Penchez-vous

(Forlano se penche. Ses cheveux tombent dans ses yeux. D'un mouvement de tête il les rejette en arrière et rit).

LE DIRECTEUR – Plus près.

(Forlano se penche enfin jusqu'à toucher, presque, le front du directeur).

LE DIRECTEUR – Vous avez ici une des plus riches collections au monde de repris – de re-pris. J'insiste lourdement sur le mot – de repris de justice. Ils ont commis autant de crimes que vous, plus que vous et de plus – comment le dire ? – de plus rutilants, et comme vous paierez, ils ont payé.

(Le directeur relève la tête. Forlano et lui se regardent).

LE DIRECTEUR – Penchez-vous encore. Vous avez peur ?

LE BAGNE

(Sous le doigt du directeur, l'album s'ouvre. Doigt du directeur sur chaque photo. C'est plus le doigt que l'image, qu'il faut montrer. C'est le doigt montrant. Obscène à force d'intensité, d'insistance).

LE DIRECTEUR – Feuilletez vous-même, à votre gré, ce sont vos amis.

(Apparaissent méthodiquement une vingtaine, puis un désordre nombreux de photographies de bagnards. A chaque photo le Directeur commente) :

LE DIRECTEUR – NORAK, BRUNO. S'attaquèrent aux fermiers. COLONNA. Il y a la dynastie des Colonnas. Celui-ci est un des plus brillants. SCHOEFFER. Il doit vous plaire. Il avait votre âge quand un Caïd l'a éventré. DELAZINSKY. Lâche. Tuait les enfants. La lâcheté vous séduit peut-être ? Non ? FERRARI. Vous êtes trop jeune pour vous rappeler, mais il a été illustre. NINO. Le grand Nino Oléo. AGRANATE. Ne vous intéresserait sans doute pas. Il empoisonnait. NOGARO. Nogaro, vous savez bien, un règlement de compte dans un port. MES-KEL, RUBIO, NICOLAÏ, et il y en a d'autres, des milliers...

(Le visage de Forlano se crispe, ses yeux sont mouillés).

LE DIRECTEUR – Tous, tous, vous m'entendez, ou s'évadèrent ou furent descendus par nos effectifs noirs – car nous avons nos chiens et nos nègres...

(Le directeur est lassé et triste, sa voix est monotone).

LE DIRECTEUR – ... ou furent déchirés par nos chiens, ou crevèrent de soif dans nos sables, ou s'entretuèrent sous nos yeux, ou se révoltant dans nos murs furent guillotinés. Car vous le savez Forlano, à l'intérieur du bagne il y a encore une justice, impitoyable. Avec sa sanction, la guillotine. Vous connaîtrez bientôt Ferrand et sa fonction. Vous, vous arrivez avec votre prestige. Vous allez donc essayer de devenir encore plus grand qu'eux. C'est en tous cas le désir de tous les bagnards. Il faudra donc réaliser un crime plus grand que le leur. On vous espère comme un messie. Non pour les délivrer en ouvrant leurs portes mais en justifiant le bagne par votre beauté et vos pouvoirs criminels. Mon rôle à moi, sera de vous contrer dans tout ce que vous ferez dans ce sens. En attendant votre manifestation, comme je suis le plus fort, je vous envoie immédiatement, et jusqu'à nouvel ordre, au quartier de discipline.

(Le directeur se tourne alors vers le greffier).

LE DIRECTEUR – Inscrivez. Forlano Santé, discipline jusqu'à nouvel ordre.

(Les gardiens saisissent Forlano chacun par un bras et le font tourner, en direction de la porte).

FORLANO – Monsieur le Directeur !

LE DIRECTEUR – Eh bien, vous voulez me parler ?

(Forlano et ses gardiens vont sortir mais Forlano détourne la tête, regardant le directeur par-dessus son épaule, son visage se crispe. Forlano lâche un pet énorme devant les gardiens furieux. Puis il dit d'une voix tranquille, le regard inspiré, essayant mais sans y parvenir, de mettre ses mains dans ses poches).

FORLANO – Mozart !

(Le Directeur hurle) :

LE DIRECTEUR – Emmenez-le !

(Les gardiens poussent Forlano hors du prétoire. On le suit jusqu'à ce qu'il ait disparu. Puis le directeur, le sous-directeur, et le greffier s'épongent le front. Le greffier range les photos. Le directeur siffle une valse lente).

(Nous reprenons Forlano encadré des deux gardiens. Il traverse une grande quantité de couloirs blancs, réguliers, ils passent sous des voûtes. On devine une architecture très compliquée. Ils arrivent enfin dans la cour du bagne. Puis à la porte du mitard. Enfin dans le vestibule du mitard).

(Quelques indications sur le visage, les manières, les gestes et la démarche de Santé Forlano. Le visage n'exprime jamais rien : ni haine, ni colère, etc. Il sourit. Ou il est triste. C'est tout. Il marche en tendant le jarret assez pour gonfler l'étoffe du pantalon au mollet. Démarche ankylosée. Ses bras, immobiles, pendent le long de son corps. Ses mains ne bougent jamais).

(La tonte de Forlano. Dans le vestibule du mitard, un gardien se promène en sifflant une valse musette. On entend le pas cadencé des bagnards. Forlano est assis sur une marche. Près de lui debout, se tient un autre bagnard, très âgé. Il examine un instant Forlano, puis sort un peigne de sa poche et le peigne. Les grosses mains du bagnard peignent Forlano).
(Le bagnard recule, regardant la raie qu'il vient de faire. Puis il prend une tondeuse et commence à tondre Forlano. Le gardien va d'une porte à l'autre et regarde, par l'œilleton, dans les cellules).

(Forlano est assis très bas, sa tête se trouve coincée par les cuisses du bagnard. Les boucles de Forlano tombent sur ses mains. Elles tombent par terre. Il les ramasse et les regarde tristement).

LE BAGNARD – *(Doucement)* : ça te navre ?

FORLANO – J'étais beau gosse. Maintenant...

LE BAGNARD – T'es une statue.

(Le bagnard passe doucement sa grosse main sur la tête rasée de Forlano).

(La nuit est venue. Le bagne tout entier s'y repose. S'y dépose. Le rayon d'un phare découvre une sentinelle noire qui marche, un fusil à la main. Elle rentre dans l'ombre. Le projecteur donne sur les bâtiments du bagne, puis il découvre une deuxième sentinelle noire sur le mur de ronde. Nous restons sur la sentinelle qui avance en silhouette sur la nuit. Elle crie une phrase dans une langue barbare et rauque. Le surveillant Marchetti est au pied du mur de ronde. Il écoute. Des soldats noirs l'accompagnent. Il se dirige vers un bâtiment. Le surveillant est maintenant à l'intérieur du mitard. Il ouvre une porte de cellule sur laquelle on lit « Forlano Santé, 22 ans ». Il regarde. La cellule est vide).

(Le dortoir est une immense salle, divisée, sur tout un des grands côtés, en de nombreux box cloisonnés, très étroits. Dans chaque box, un lit de fer. Chaque box est séparé du couloir, par une grille de fer, un peu à la façon des cellules des prisons criminelles aux Etats-Unis).

(Nous irons donc d'une cellule à l'autre où les bagnards sont couchés. L'un d'eux est appuyé sur le coude. Il fume.

A petits coups de lueurs tirés de son mégot, il regarde une coupure de journal : c'est Forlano).

(Le bagnard se lève, va à sa grille, attache le papier à une ficelle et le balance au bagnard voisin qui tendait la main entre les barreaux de la grille de la cellule d'à côté).

LE PREMIER BAGNARD – Fais passer.

(Continuons jusqu'à une cellule où Ferrand est couché. Il se lève et prend la ficelle et le papier, puis il se remet dans ses draps).

(Dans une cellule voisine, Roger aussi est couché. Il joue avec les petits sabots trouvés sur Ferrand le matin même. On entend une porte s'ouvrir. Quelqu'un, furtivement, marche sur le dallage. Le visage de Roger s'éclaire. Il se lève, et reste droit, immobile, debout au pied de son lit).

(Par la porte du fond est entré le surveillant Marchetti, suivi de ses deux noirs portant un fusil passé à l'épaule par la bretelle. En apparaissant, Marchetti n'a pas fait de lumière. Les trois hommes s'avancent très lentement, en regardant dans chaque cellule. Arrivés à la hauteur de la cellule de Roger, celui-ci s'approche de la grille. Le surveillant s'en rapproche aussi. Roger murmure (mais vraiment on doit voir la bouche articuler le murmure lui-même plutôt que les paroles) :

ROGER – Rien à signaler ce soir. Demain y a Rocky qui sort du mitard.

(Marchetti sourit. Roger regagne avec précaution son lit. Marchetti s'éloigne doucement).

(C'est la même nuit. Le même groupe d'hommes, Marchetti et les deux nègres, sont à nouveau dans le couloir *du mitard. Marchetti s'approche d'une porte et regarde par l'œilleton. Dans sa cellule, Rocky fume, couché par terre. Marchetti s'écarte et va à une autre porte. Même geste. Forlano est debout dans un coin de sa cellule, et pleure. Marchetti baisse l'œilleton. Accompagné de ses deux noirs, il se dirige vers un pupitre, ouvre un registre et écrit : « Rien à signaler »).*

(Les nègres et Marchetti sortent. Les voici à nouveau au pied de la muraille de ronde. On entend et l'on voit les sentinelles noires hurler leurs mots de passe).

MARCHETTI – *(comme à soi-même)* Sauvages !

(Le lendemain matin, sans hésitation, nous voici dans les lavabos du mitard. C'est une pièce, aussi blanche que les autres, où, le long d'un mur court une sorte d'auge où les bagnards, campés devant, complètement nus, se lavent. Ils prennent l'eau dans les mains et s'en mouillent avec précaution le visage. L'eau est en effet très grasse. C'est la même qui sert durant toute la semaine).

(Forlano de dos à nous se lave. Un doigt touche son épaule. Forlano relève la tête et se dégage. C'était Rocky).

ROCKY – Faut faire plus vite que ça mon odalisque. C'est pas les bains turcs, ici.

(Stupéfait d'abord, le visage de Forlano se met en colère, ruisselant. Rocky est légèrement admiratif devant la musculature du jeune homme, et soudain dur) :

---

* La démarche de Marchetti le long du corridor du mitard doit faire l'objet de soins extrêmes : il rase le mur, bien qu'il marche lentement, et à grandes enjambées comme si son ventre – son ventre seul, la tête et le torse un peu renversés en arrière – était collé à la paroi. Il garde ses mains dans ses poches.

ROCKY – Je t'ai pas dit de me regarder mais de te presser. Torche-toi et mets tes frusques.

(Forlano jette à Rocky un coup d'œil féroce puis il s'approche de sa blouse posée à terre derrière lui et il se baisse pour la prendre. Passe un surveillant).

LE SURVEILLANT – Faites ce que vous dit le prévot. C'est votre chef.

(Cette scène rapide s'est passée alors que les bagnards se lavent, s'habillent, et sortent, chacun portant sa tinette. Forlano se relève et veut les suivre mais Rocky hurle) :

ROCKY – Ta tinette ! C'est peut-être moi qui va traîner ta merde ? (il tousse)*.

(Forlano se baisse, ramasse sa tinette, et sort. Rocky le suit en toussant et en crachant. Dans la cour du mitard chaque bagnard verse le contenu de sa tinette dans une plus grande qui est au centre de cette cour).

(La cour du mitard est grande, carrée, blanche, déjà crépitante de soleil. Les murs sont percés de vasistas donnant sur les cellules, vasistas obstrués par des volets en forme d'entonnoir dirigés vers le haut. La seule porte du mitard donnant sur cette cour, est fermée par une grille derrière laquelle un surveillant se tient, assis sur une chaise et trempant ses pieds et ses jambes – nus et

---

* La toux de Forlano doit en dire long sur son état de santé. D'ailleurs elle procédera par quintes, de plus en plus, à mesure que nous nous enfonçons dans le récit. Cette toux devrait donner l'impression que c'est tout le bagne qui est miné, rongé par la tuberculose : ces forçats musculeux ont la fragilité d'un squelette de sel. Qu'un doigt réel les touche, ils vont tomber en poudre.

velus – dans une bassine pleine d'une eau qu'un puni change tous les quarts d'heure afin qu'elle soit fraîche).
(Les punis versent le contenu de leurs tinettes*, et posent celles-ci dans un coin. Ils le font avec un maximum de courtoisie, l'un à l'égard de l'autre et à l'égard des tinettes elles-mêmes. Pas de bousculades. De muettes excuses. Ils savent s'écarter et céder le pas. Une secrète gravité semble commander tous les mouvements).
(Le dernier, Forlano vide sa tinette et va la poser dans un coin. Sa démarche est très lourde. Ses sabots le blessent).
(Rocky, seul, est près de la tinette géante, au milieu de la cour. Les punis se sont déjà mis en place, sur un rang, autour de la cour, ils font un cercle, bras croisés, à deux mètres l'un de l'autre, immobiles).

ROCKY – *(hurlant)* En place ! Plus vite que ça. Je vais vous bourrer le bas du dos, avec mes belles galoches ! *(à Forlano)* Et là, le jeune, comment tu t'appelles ?

FORLANO – Tu le sais pas, non ?

(Les deux hommes s'affrontent à distance).

ROCKY – Ton nom, je te dis.

FORLANO – Forlano.

---

* La tinette est elle-même remarquable. Qu'on n'aille pas supposer un récipient abstrait, mais qu'on imagine au contraire une boîte oblongue et qui pue le crésyl et la merde. Elle est en fer, mais si vieille, que l'acide l'a corrodé. Le fond s'effrite. Il est devenu coupant. Mais qu'on ne croie pas que la tinette est un instrument méprisé. Chaque bagnard chérit la sienne, c'est-à-dire qu'il serait offensé si quelqu'un par mégarde la brutalise.

LE BAGNE

Y – Dis donc, petit, faut pas me répondre
à un gâfe ou au dirlo, mais comme à un chef.
que moi c'est pas à coups de jours de cellule que
je . .is te sonner : c'est à coups de lâmes. C'est pas
pour l'ordre, c'est pour être respecté. Mets-toi entre les
vieux et tâche de suivre la cadence.

*(Forlano s'est placé selon les indications de Rocky. Un
léger sourire se pose sur ses lèvres).*

ROCKY – *(hurlant)* Un ... deux ! Un ... deux !

*(Les punis tournent, bras croisés, au rythme des cris
de Rocky. Derrière la grille, le surveillant prend des bains
de pieds d'eau fraîche. Il gratte ses jambes velues et
blanches. Ses orteils jouent dans l'eau où ils essayent
d'attraper un minuscule goujon. Le surveillant ne sourit
pas).*

*(Cette cour doit être examinée avec un maximum de
violence, c'est-à-dire qu'aucun détail ne doit disparaître
dans la confusion. J'exige donc la reconnaissance très
exacte du mur, blanc, mais grenu, où le soleil s'écrase.
Le sable du sol est presque blanc. Il crie sous les sabots.
Les sabots doivent être d'un bois très réel, fendillé par le
soleil. Une légère vapeur sortira de la tinette placée au
centre de la cour. Elle est en fer forgé et rouillé. La rouille
doit être visible, le fer lui-même semble s'écailler. La
marche des bagnards est lourde, et déjà fatiguée. Si, ne
fut-ce qu'une seconde, mon œil se pose sur un visage,
c'est toute la misère de ce visage qui doit être rendue :
un filet de morve sortant du nez, une oreille déchirée, le
coin de l'œil poussiéreux et sale, etc. ... Obtenir la douceur
des caresses que le surveillant accorde à ses mollets velus,*

JEAN GENET 136

ses pieds trop blancs dans l'eau, la justesse du petit goujon, la qualité du treillis de fil de fer qui sépare le surveillant de la cour. Pas un mot. Le bruit régulier des sabots avec, de temps en temps, une erreur dans la cadence et un juron enroué de Rocky).

(La cour du bagne. C'est une vaste esplanade bordée de bâtiments blancs et réguliers. C'est le matin, tous les bagnards sont en ordre, au garde à vous, groupés par ateliers, attendant d'être passés en revue par le surveillant-chef. Devant chaque groupe, le surveillant de l'atelier, et le prévot du groupe, qui est un bagnard se tiennent immobiles. Un grand silence. Un soleil terrible et ce n'est que l'aurore. Au loin un bruit rythmé de sabots. On entend les commandements : « Garde à vous ! » et une sonnerie de clairon).

(Le surveillant-chef passe devant chaque groupe. Quand il a dépassé le groupe travaillant au séchoir, notre regard y revient et s'arrête sur Roger. Il reçoit un coup de poing au foie. Il se plie, le visage douloureux. C'est un bagnard qui s'était glissé près de lui et qui déjà s'esquive).

UNE VOIX, *(très fraîche)* – Encore un qu'aime pas les donneurs.

(Les bagnards, trois par trois, au pas, se dirigent vers leurs ateliers respectifs, encadrés par les nègres armés. Beaucoup plus que les forçats, les nègres suent. Leurs visages luisent. La sueur coule dans les tranchées de leurs balafres rituelles. Faut-il le dire : ils puent. Leur regard très clairement, très éloquemment, méprise les forçats).

(Bureau du Directeur – ou prétoire – tel que nous le vîmes hier, à l'arrivée de Santé Forlano. Rien n'a changé. Tout y est près dans une lumière éblouissante, immuable. On entend le bruit rythmé des sabots du mitard. Un gardien est debout devant le Directeur assis à sa table. De ses gros doigts, il tient une petite fleur en perles, comme celles qui composent les couronnes mortuaires. C'est une sorte de marguerite qui surgit frêle et plaintive entre le pouce énorme et l'index – ridés – du gâfe. Elle est rose et blanche).

LE GARDIEN – Dans sa cellule, il y en avait des douzaines. Aux murs, au plafond, et même au traversin. Peut-être même à chaque oreille. Et de tous les ateliers on lui apporte quelque chose. Il a même un petit drapeau suédois.

LE DIRECTEUR – Je sais, mais il nous renseigne bien.

LE GARDIEN – On a déjà Stello au dortoir B, Monsieur le Directeur, pour moucharder.

LE DIRECTEUR – Oui, mais Roger moucharde mieux.

LE GARDIEN – Oh, mieux... ?

LE DIRECTEUR – Ce n'est pas qu'il dénonce des faits, mais il crée un climat qui permet de les dévoiler.

LE GARDIEN – Monsieur le Directeur, moi je laisserais bien faire, c'est les autres matricules qui râlent de voir une petite donneuse protégée aussi par tous les caïds des ateliers. N'importe où il va il trouve un costaud pour lui envoyer ou donner un cadeau ou...

LE DIRECTEUR – Ou ... ?

LE GARDIEN – Un sourire. J'y comprends rien.

LE DIRECTEUR – Merlin, pour les comprendre il faudrait être un bagnard. Vous ne tenez pas à le devenir, n'est-ce pas ?

LE GARDIEN – Moi non, mais Marchetti – je ne veux pas dire de mal de lui, mais Marchetti trouve bien le moyen d'être plutôt de leur côté, tout en étant plus vache que nous.

LE DIRECTEUR – Marchetti ? Je sais. Il est très intimement mêlé à la vie du bagne. Nous ... repartez ... Non, laissez cela.

(Le gardien pose la fleur en perles sur le bureau, salue le directeur, et sort. Le directeur prend alors cette fleur et la défait, et laisse glisser les perles des fils de fer : elles suivent toutes la pente douce de la table, et tombent à terre. En jouant, le directeur les écrase avec ses pieds).

(Durant tout ce dialogue, notre œil n'a pas quitté les mains du Directeur, ni son visage, ni les mains et le visage du surveillant).

J'ai choisi, sans doute trop arbitrairement, de placer mon bagne au centre du désert et de le priver totalement de femmes, même les gardiens, même les soldats noirs n'ont pas le droit d'y conduire leurs épouses. Est-ce tricher ? Oui, si le public s'en étonne, se pose la question, et que je ne sache y répondre. La fiction doit obéir à des exigences. Elle respecte non le monde traditionnel, mais une vraisemblance plus secrète. Le récit, intitulé « Le Bagne » est donc un drame pédérastique, et rien d'autre. Toutefois, je me demande si la vérité et la violence lyrique des images n'arriveront pas à lui donner un pouvoir poétique assez grand pour captiver le spectateur le plus éloigné d'un tel égarement ?

Jamais un héros de ce récit n'osera – fut-ce devant soi-même évoquer cette sorte de passion. Non par pudibonderie, ni pudeur – sûrement ils s'enfilent ailleurs, furtivement, lors des intervalles qui n'intéressent pas ce récit et ils n'en éprouvent point de honte – mais je voudrais qu'ici il n'y ait pas de confusion : le seul pédéraste de l'aventure c'est moi. J'essaye seulement de proposer un thème érotique particulier et de l'éclairer de telle sorte qu'il entre sans heurts, sans fracas, et sans refus, dans n'importe quelle conscience.

Toutefois, j'avais eu l'idée d'une sorte de reposoir à Marie dans la chapelle. Non au-dessus de l'autel mais sur un des bas-côtés. Je n'y renonce pas tout à fait. L'émasculation des bagnards paraîtra plus grande peut-être si leur rêverie les conduit à une image, dans un ciel inaccessible. Seuls, les gardiens, qui retrouveront d'ici peu la métropole, parlent avec plaisir de la femme et de tout ce qui la concerne.

Il va de soi qu'aucun bagnard – ni Roger, et surtout pas lui – n'aura une attitude, ou un geste ou une parole efféminés.

(Nous revoici au mitard. Les punis tournent toujours. Le soleil est encore plus terrible. Tous sont en sueur. Le gardien prend des bains de pieds et se nettoie les dents avec son doigt, puis crache dans la bassine. Au centre

*de la cour, près de la tinette, Rocky hurle ses comman-
dements).*

ROCKY – Un, deux ! ... un, deux ... !

*(Bras croisés, tête haute, Forlano marche. Il a déjà pris
le rythme du mitard).*

ROCKY – Section... halte !

*(En réalité Rocky, reprenant son héritage de tous les
caïds qui se sont succédé comme prévot, n'a pas hurlé
section, mais, d'une voix boudeuse et sombre, afin d'être
digne des prévots ses prédecesseurs : « Chions) ! »
(On entend le bruit des sabots qui s'arrêtent net, avec
pourtant une erreur. Rocky s'approche de Forlano. Les
deux hommes sont côte à côte. Forlano sent le regard de
Rocky posé sur son profil. Il ne tourne pas la tête).*

ROCKY – T'as pas compris que tu dois t'arrêter pile ?

(Forlano se tait).

ROCKY – Crâne pas. Parce que je t'ai pas à la bonne.

*(Forlano se tait. On voit Rocky irrité, la cuisse frémis-
sante. Cette cuisse frémit comme une aile d'oiseau bat,
comme si Rocky se préparait à l'envol : ses sabots le
tiennent au sol. Au-dessus de l'eau de la bassine, les
mains du gardien tiennent le savon puis, lentement, avec
une indifférence feinte savonnent ses orteils).*

VOIX DE ROCKY – Et crâne pas, je te dis !

*(Les deux visages de Rocky et de Forlano, l'un par
rapport à l'autre posé à angle droit, sont énormes. Forlano
est tranquille et indifférent. Rocky, rageur).*
*(Le gardien regarde à travers la grille et sourit. Il
continue à se laver).*

141   **LE BAGNE**

VOIX DE ROCKY – En avant, marche ! Un ... deux, un ... deux !

(Les punis se remettent en marche. Et Rocky, tenant toujours Forlano, qui ne bronche pas, sous son regard, marche avec eux, mais de biais, presque à reculons).

ROCKY – Fais le dur, et ça va chier ! T'es pas un dieu, si ?

(Rocky revient auprès de la tinette. Il remonte son pantalon d'un coup de reins. Il enlève son chapeau et s'éponge. Forlano, au soleil, avance toujours. Son visage se crispe. Il lève la main*).

(Rocky le regarde et se détourne. Forlano voudrait attirer davantage son attention, mais il ne sait comment s'y prendre. Son visage se crispe. Il s'impatiente. Le surveillant regarde et ricane. Il joue toujours avec l'eau de la bassine, qu'il fait couler entre ses doigts. Le visage de Forlano se crispe davantage).

(Rocky polit ses ongles. L'une de ses jambes est repliée en arrière, et s'appuie contre la tinette).

(Quand Forlano passe près de lui, Rocky avec nonchalence fait un geste d'assentiment. Forlano se dirige vers la tinette. Pendant sa marche il se déboutonne, baisse son pantalon, puis il monte sur la tinette et risque de

---

* Chaque puni, s'il a besoin d'aller chier ou pisser lève ainsi la main, et voici métamorphosé en un gamin qui veut sortir un moment de l'école, un vieillard au crâne socratique. L'étrangeté, c'est que le maître est souvent très jeune : le prévôt doit être surtout fort et brutal et l'élève plus vieux, quelquefois au bord de la tombe. Le cérémonial exige le silence, comme au cloître, et le doigt levé.

JEAN GENET   142

perdre l'équilibre. Il est en effet difficile de se hucher sur
le faîte, de s'y accroupir pour chier en gardant ses pieds
posés sur les oreilles placées au flanc de la tinette).
(Les punis marchent toujours, indifférents semble-t-il).
(Rocky brosse ses ongles, et épie Forlano qui chie).
(Le gardien, méchamment, épie Forlano et Rocky).
(Derrière le gardien, dans un angle du mur, le directeur
s'esquive ! Depuis un moment déjà il épiait le gardien se
lavant les pieds, qui épiait Forlano et Rocky).
(Arrêtons-nous sur le visage du directeur : son regard
rencontre celui d'un soldat noir qui le regardait. Le
directeur s'en va, sans un mot).

(Au séchoir, le même jour, au même moment. Le
séchoir est un grand bâtiment carré tendu de fils de fer
où trois ou quatre bagnards étendent le linge que d'autres
bagnards apportent dans des corbeilles. Un gardien les
surveille).
(Plan général du séchoir, en plongée. De dos, des
forçats. Entre eux, il y a une corbeille pleine de linge.
Un des forçats se relève, toujours de dos et attache, avec
des épingles à linge en bois, des chemises sur le fil de
fer).
(On découvre enfin le visage de Roger. Dans ses mains
et dans sa bouche, des épingles à linge).

VOIX DE L'AUTRE FORÇAT – T'es tout de même dé-
gueulasse. Moi j'oserais pas vendre des copains.

ROGER – Je les vends pas. Je les donne.

LE FORÇAT – Petite ordure.

(L'autre forçat est presque aussi jeune que Roger, mais beaucoup moins beau. Il a l'air exagérément méprisant alors que Roger est plutôt souriant).

LE FORÇAT – Je comprends qu'on peut pas te blairer et qu'on veut te casser la gueule.

(Roger épingle toujours. Il rit doucement. Toutes ces répliques s'échangent à voix basse mais nette).

ROGER – Tu rigoles, tous les durs m'ont à la bonne. Ça me sert. Ici y a pas de copains. L'amitié je l'ai oubliée avec mon surin dans la panse d'un vieux. Ce qui compte c'est que les boulangers me passent du pain blanc et que les tailleurs me retaillent mes frocs.

LE FORÇAT – Salope !

(Roger sourit toujours, presque gentiment).

ROGER – Gueule pas, même toi, je te...

(Mais le visage du forçat est venu extrêmement menaçant*).

LE FORÇAT – Boucle-la ou je t'assomme. Un de ces jours un mec va te buter...

ROGER – Tu crois ? Rocky sort demain de discipline. C'est moi qui passe la touche. Et je suis copain avec Marchetti.

(Ceci fut dit alors que Roger se baissait pour prendre du linge dans la corbeille. Sa bouche se trouve alors à

---

* Il serait bon qu'ici un certain nombre de détails fassent douter si le bagnard est menaçant parce que la bassesse de Roger l'écœure ou parce que sa beauté, perdue par lui, le trouble ? S'il était possible que l'œil démente ce que dit le rictus de tout le visage !

la ceinture du bagnard qui, les bras levés, étend une serviette).

LE FORÇAT – Lui aussi pourrait y passer. En même temps que toi. Pour un seul enterrement. Le gâfe est sa petite donneuse.

(Le forçat est devenu furieux, il hausse la voix. J'ai oublié de dire que l'un et l'autre sont nus tête pour travailler).

ROGER – Surveille tes mots. Rien qu'avec ça je pourrais...

LE FORÇAT – Qu'est-ce que tu dis ? Répète-le et je te descends. Ici. Dans les draps !

(Le forçat pousse Roger qui, toujours souriant, bute du dos contre un drap tendu. On entend le « floc » de l'étoffe mouillée, et l'on voit en creux la marque laissée par la tête ronde de Roger).

VOIX DU SURVEILLANT – C'est fini de discuter, là-bas ?

(Visage ironique, incrédule de Roger. Il amorce le geste de se baisser, mais tournant le dos au forçat) :

ROGER – Toi ?

LE FORÇAT – Oui, moi.

(Le forçat regarde).

VOIX DE ROGER – T'oserais ? Zieute.

(Roger s'est relevé et il réapparaît ainsi : il s'est mis, comme un voile de madone – ou d'infirmière, un torchon mouillé sur la tête. On entend la voix du forçat qui fait « Ah ! » comme dans un soupir énorme).

ROGER – (*souriant*) T'oserais ?

(On entend encore un soupir et un coup de poing sur le visage qui bascule).

(Mais viennent quatre bagnards qui apportent deux énormes corbeilles de linge. Ils ont entre quarante et cinquante ans. Ils se glissent entre les rangs de linge étendu jusqu'à Roger et à l'autre forçat. L'un d'eux, à Roger qui s'est remis d'aplomb mais saigne un peu du nez*) :

LE BAGNARD – T'es prêt ?

ROGER – *(Il renifle)* Oui.

LE BAGNARD – Allez, vas-y.

(Roger cherche dans ses poches et en retire un minuscule mégot. Les autres bagnards observent si le gardien les voit. Ils ont à leur disposition tout un répertoire de signes pour composer des signaux d'alarme).

(Revenons dans la cour du mitard. Les punis tournent toujours. Rocky hurle. Le gardien se lave les pieds. Soudain les punis se ruent vers la tinette dans un grand bruit de sabots).

ROCKY – En silence, j'ai dit. Revenez !

---

* Entre temps, l'un des nouveaux bagnards a épongé le sang qui coulait du nez de Roger. Comme le torchon est souillé, tout à l'heure après la séance de la touche, il la portera au gardien. Indigné, il prétendra que les bagnards du lavoir font mal leur travail, et il les fera punir.

(Les bagnards reprennent la place qu'ils occupaient dans la ronde).

ROCKY – Allez !

(Sur un mot de Rocky, ils s'approchent de la tinette, mais presque à pas de loup, empêchant leurs gros sabots de cogner. Ils déboutonnent leur braguette, et pissent dans la tinette, en s'arrangeant pour ne faire aucun bruit, pour ne causer aucun désordre. Deux punis, cependant, trouvent le moyen de se murmurer presque sans bouger les lèvres, de brèves remarques).

(Le surveillant, debout dans sa bassine regarde en direction de la tinette).

LE SURVEILLANT – Rocky, surveille-les un peu mieux. Y en a deux qui chuchotent.

(Enorme, majestueux, semblable à un vainqueur qui enjamberait un champ de batailles, la cuisse impérieuse, Rocky s'approche de la tinette).

ROCKY – Vous savez bien qu'on doit la fermer. M'obligez pas à vous foutre une toise.

(Les deux punis qui murmuraient sont toujours côte à côte, boutonnant leur braguette).

LE PREMIER PUNI – Tu m'empêcheras pas de dire que c'est cette petite salope de Roger qui m'a fait balancer au mitard.

ROCKY – Boucle-la.

LE PREMIER PUNI – Tu sauras tout de même qu'on devait s'évader et que la petite ordure nous a donnés.

LE BAGNE

(Le regard de Rocky se pose sur Forlano qui se boutonne et sourit. Rocky, rapidement, passe à la colère, à la rage) !

ROCKY – Qu'est-ce que tu veux que ça me foute, à moi ?

(Rocky s'approche de Forlano. Il paraît menaçant. Ses yeux brillent. Il fait chaud. Tout le monde sue).

ROCKY – *(Forlano)* Ça te fait marrer ?

FORLANO – *(souriant toujours et après un long silence)* Oui.

(Rocky se met en garde. Forlano montre sa main, à peine entr'ouverte. Rocky regarde).

(Forlano tient une grosse aiguille, sorte d'alène, enfoncée dans un morceau de bois, gros comme un petit bouchon. Rocky recule alors très légèrement. Il tousse et crache. Son crachat va s'écraser contre le sabot d'un puni qui le regarde et n'ose l'essuyer. Sans en bien démêler les données, le surveillant sent qu'un drame chauffe, qu'il va exploser).

ROCKY – D'accord. Mais je t'aurai autrement.

FORLANO – Oui ?

(Durant tout le récit, Forlano parlera très peu, mais d'une voix lente mais dure, aux inflexions douces).

VOIX DU SURVEILLANT – C'est fini la causette ?

(Le gardien a ouvert la grille. Il se tient debout, les mains dans les poches, et prêt à s'approcher du groupe, malgré une visible répulsion à se mêler à cette dispute).

JEAN GENET   148

LE SURVEILLANT – En ordre pour les cellules. Commencez à vous foutre à poil. Je vous donne trente secondes pour être à la niche.

(Les bagnards, en rang, ayant chacun leur tinette à la main, qu'ils ont été prendre en silence dans le coin de la cour, commencent à se dévêtir, tout en marchant. Rocky et Forlano, soudain, semblent s'ignorer).

(La salle à manger du Directeur. Lustre. Fauteuil. La table est recouverte d'une nappe en dentelles. Porcelaines, cristaux sur la nappe. Un bagnard pose le couvert. La porte s'ouvre. Apparaissent le Directeur, puis l'Aumônier. Le Directeur et l'Aumônier restent un moment debout, avant de s'asseoir).

LE DIRECTEUR – Naturellement, j'ai mes espions personnels. Je sais que Rocky et Forlano se sont affrontés.

L'AUMÔNIER – Je ne vois pas ce qu'il peut en résulter.

(Ils s'assoient. Le bagnard, indifférent à la conversation, passe les plats avec style).

LE DIRECTEUR – Forlano arrive de France avec un prestige éblouissant. Le prestige du crime ; une vieille, une autre vieille, un vieillard, lui ont claqué dans les doigts. Je sais, monsieur, qu'il tuait pour de l'argent, il n'empêche que sa jeune beauté sacrifiait la vieillesse. Elle prenait prétexte d'un peu de fric *(sourire du curé)* fric, fric, d'un peu de fric pour renouveler un mythe : né d'une flaque de sang, un héros lumineux détruisait des ténèbres.

L'AUMÔNIER – Je suis chrétien...

LE DIRECTEUR – Vous me comprendrez d'autant mieux, Forlano, dur, ironique, méprisant, arrive au bagne...

L'AUMÔNIER – Où les assassins vieillissent...

LE DIRECTEUR – Mais qui veille en chacun d'eux ? Non Forlano lui-même – Mangez, Monsieur, reprenez de la carpe – mais une idée stylisée de ce héros...

L'AUMÔNIER – Quand le verrai-je ?

LE DIRECTEUR – Mangez. Il est au cachot mais il n'attend aucune consolation. Vous savez la règle : coupable, le bagnard exalte en lui la culpabilité. Non seulement il ne la refuse pas, mais il l'exige encore plus sévère...

L'AUMÔNIER – Comme nous ils pèchent. Un excès d'orgueil les conduit ... à quel Ciel ?

LE DIRECTEUR – Devinez. Jusqu'à présent leur culpabilité a le visage ravagé qu'ils ont tous. Radieux, hier, un visage apparaissait-il ? Il se rendra coupable plus que les autres. Le crime s'illustre.

L'AUMÔNIER – Et le repentir ?

(L'argenterie de la table étincelle, sur le visage du bagnard – maître d'hôtel, un sourire flotte, dehors, les soldats noirs, montant la garde dans la nuit, sous le ciel noir, sous les étoiles, cependant que la voix du directeur continue).

VOIX DU DIRECTEUR – Nous avons choisi ce visage aussi beau parce qu'on le charge de rendre possible la vie au-delà du désespoir. Aussi pour ce qu'il propose d'aimer ; afin qu'il transporte dans le mal les assassins qui poursuivent dans l'ennui une tâche aussi dure et délicate que celle de vivre. Les rideaux de guipure blanche des fenêtres flottent très, très légèrement. Les deux mâchoires mâchent. Les fourchettes cognent un cristal. Le bagnard, un plat d'asperges à la main, s'approche doucement, il est chaussé de chaussons de lisières.

VOIX DE L'AUMÔNIER – Et vous, mon cher Directeur, dans tout cela ?

(La même nuit, dans le couloir du mitard. Deux nègres sont à la porte*. On découvre, de dos, Marchetti, collé à la porte de la cellule de Forlano. Il détourne un peu la tête et murmure) :

MARCHETTI – Tu y passeras. Comme les autres. Le dirlo t'a fait son coup de théâtre, mais je vais te le dire plus vachement. On en a déjà maté, et des plus durs que toi. T'as compris, fumier...

(Debout dans un coin de sa cellule, et tout nu, le visage dans l'ombre, Forlano semble écouter. Son cœur bat très fort. Cette nuit il a peur).

---

* Toujours les deux mêmes. Il semble que Marchetti se soit choisi deux gardes du corps, deux esclaves dévoués plutôt que de désigner au hasard ou selon le rôle deux factionnaires qui doivent l'accompagner durant sa ronde. De sorte qu'ils en arrivent à donner une impression de complicité. Ainsi, tous les mouvements, tous les désirs de Marchetti sont-ils devinés par les deux nègres.

MARCHETTI – Avant longtemps t'en prendras des coups de poing dans la gueule, des coups de lattes dans le ventre. Et pour finir je te foutrai à mes nègres. Salope !

(Marchetti, toujours de dos, se détache de la porte où il était collé de tout son corps, comme sur une maîtresse et il va rejoindre les nègres. Ils sortent du mitard tous les trois, sans faire de bruit).

(Marchetti et les nègres marchent un peu dans les cours. Ils croisent d'autres patrouilles. Enfin, après avoir franchi une porte de fer, puis une autre, ils arrivent devant le corps de garde, tout illuminé et bruyant d'une joie désordonnée. Je voudrais que semble s'y préparer une fête extravagante, extrêmement libre, mais pas autrement que pour l'exaltation des gestes familiers, et nécessaires : ce serait, si l'on veut, comme si le quotidien fut devenu fou).

(Les Nègres. Arrivé devant le corps de garde, Marchetti abandonne les soldats noirs, et s'éloigne. Les Nègres entrent, et déjà, gigantesque un soldat noir fait briller les boutons de son uniforme, un autre cire ses souliers, un autre frotte ses dents devant une glace. Un autre casse un miroir et le mange en riant).
(Plan général du corps de garde. On voit tous ces nègres que je viens de décrire, manifestant une sorte de cruauté, de bestialité joyeuses. Au premier plan un noir en aide un autre à s'enrouler dans une ceinture de flanelle. Tout ce qu'ils font sera fait à un rythme toujours plus accéléré si bien qu'au bout d'un moment c'est une véritable danse, scandée par des chants sauvages et un tam-tam fait avec n'importe quel objet).

(Mais repassons dans la cellule de Forlano. A cette même heure de la nuit : il s'est calmé. Il sourit, puis il bâille, il s'accroupit sur le sol. Il est nu, comme tous les autres punis dans leur cellule).

(A nouveau le corps de garde, un nègre, seul, dans un coin nettoie sa baïonnette qui flamboie. Il la frotte comme s'il la branlait de plus en plus vite. Toujours des chants, accompagnent cette sorte de fièvre. Un nègre, avec sa langue, lèche, sur sa propre épaule une rigole de sueur qui coulait depuis son front. Un autre se coupe les ongles des orteils avec des ciseaux qui font un bruit de sécateur.

153   **LE BAGNE**

Un autre encore, debout contre le mur, se contente d'être triste, mais désespérément. Soudain tout le monde s'arrête net, au garde à vous. Un sergent noir vient d'entrer et dit quelques ordres d'une voix gutturale).

(Dans sa cellule, Forlano, accroupi sur le sol, bâille encore et s'endort).

(Enfin, dans la nuit, le bagne qui semble s'enfoncer dans la préhistoire. Même sentinelles hurlant des consignes dans une langue africaine inconnue. Le rayon d'un phare nous sabre. Mais déjà c'est le jour. Un bagnard s'avance dans la cour – où le soleil apparaît. Le forçat tient à la main un clairon. Arrivé au milieu de la cour, il se met au garde à vous et sonne le réveil. Puis il imite le chant du coq, et il rentre dans le dortoir).

(C'est dimanche. Dimanche matin. De bonne heure Rocky a été libéré du mitard. Il a rejoint sa section. Aujourd'hui les bagnards ne travaillent pas. Dans chaque section, on les réunit au réfectoire. Le réfectoire est une salle très banale, blanche, évidemment. Les tables sont disposées sur deux files comme des tables d'école. A chaque table cinq forçats, bras croisés, regardent vers la porte d'entrée à côté de laquelle se trouve une sorte de petite chaise où est assis un surveillant).
(Rocky est assis à un escabeau. Un forçat le rase. Nous voyons avec précision le rasoir essuyant sur un papier

la mousse parsemée de petits poils, qu'il a retiré de la joue de Rocky. Dans la pièce, un silence parfait).

VOIX DU SURVEILLANT – Continues à distribuer les photos.

(Un bagnard, immobile dans l'allée centrale, distribue à chaque bagnard une enveloppe contenant les photos de sa famille).

(En effet, la direction accorde aux bagnards le droit de regarder – en silence et les bras croisés – pendant une heure, le dimanche matin, la photo de la femme, des enfants, du père et de la mère).

(Au fur et à mesure que l'on appelle un nom, le bagnard se lève, et, marchant sans faire de bruit, vient chercher l'enveloppe).

LE BAGNARD – Deloppe!

(Deloppe vient, prend l'enveloppe et s'en va. Il l'ouvre, et pose devant lui la photo qu'il regarde, bras croisés).

LE BAGNARD – Lefevre!

(Même jeu avec un nouveau forçat (chaque forçat est tête nue, et rasé)).

LE BAGNARD – Cerini! Schwartz! Hernandez! De Carlini! Vlassov!

(Carlini est un quelconque bagnard. Il tient plusieurs photos comme un jeu de cartes).

LE SURVEILLANT – De Carlini, l'administration vous confie la photo de votre famille pendant une heure, ce n'est pas pour vous divertir.

DE CARLINI – Je me divertis pas, chef, je regarde ma femme.

LE SURVEILLANT – Et alors ?

DE CARLINI – Elle avait vraiment une sale gueule, alors je me marre.

(Sur quatre photos de la même femme, Carlini, sans doute lui, a fait des moustaches et quelques dessins obscènes. Toutes, les photos sont usées, cornées, tachées, leurs images presque indiscernables).

LE SURVEILLANT – Bouclez-là.

(La distribution continue).

LE BAGNARD – Falaise !

(Falaise vient prendre sa photo et s'en va*).

LE BAGNARD – Morvan !

(Personne ne répond).

LE BAGNARD – Morvan ? Morvan, dit Rocky ?

(Rocky se lève, il s'essuie de son savon).

ROCKY – Pas la peine.

LE SURVEILLANT – Vous n'en voulez pas ?

ROCKY – J'ai dit pas la peine. Vous pouvez les remettre au frigidaire.

(Rocky va s'asseoir près de Roger où une place était libre. Roger le regarde en souriant).

---

* On voudra bien insister sur l'indifférence morne avec laquelle les forçats, qui ont faim, afin de pouvoir survivre, un définitif adieu au monde, emportant à leur place cette image qu'ils garderont un moment en face d'eux.

JEAN GENET   156

LE SURVEILLANT – C'est bien. *(Il change de ton)* On m'a remis ce matin la liste de ceux qui veulent aller à la messe. Est-ce qu'il y en a d'autres ? Rocky ?

(Le réfectoire est en ce moment attentif. Personne ne bouge, personne ne dit un mot).

ROCKY – Non, je me fais représenter.

(Toutes les têtes se tournent, mais très, très légèrement, vers Rocky. Ce sera un très léger, très discret mouvement. Rocky garde un visage dur, fermé. Il se tourne vers Roger et lui ordonne d'une voix forte) :

ROCKY – *(A Roger)* Va glaner.

LE SURVEILLANT – Vous tenez toujours à jouer les caïds, Rocky, mais méfiez-vous. Avec moi il faudra en rabattre.

ROCKY – On verra, chef.

(Le surveillant se lève, furieux. Il s'adresse au prévot qui distribuait les photos).

LE SURVEILLANT – Emmenez-les.

LE PRÉVOT – Ceux qui vont à la messe, debout.

(Tous les forçats se lèvent. Doucement, sans aucun bruit, ils se dirigent vers la sortie. Au passage, ils remettent leurs enveloppes au prévot, sauf Roger qui garde la sienne. Il marche, bras croisés, jusqu'à la porte où attendent quatre nègres en armes qui vont encadrer les

bagnards jusqu'à l'église. Mais restons sur cette image de Rocky assis, bras croisés. Il regarde dans le vide*).

(Pour quelques instants, nous revoici au mitard, dans la cour, où il n'y a pas de dimanches. Les bagnards tournent toujours. Santé Forlano est dans la ronde. Il marche pesament. Son visage est très fatigué).

(La chapelle. La chapelle est un bâtiment rectangulaire, blanc dehors et dedans. Aucune décoration. Des rangées de bancs partagées par une allée centrale. Au fond, sans estrade, une table avec une nappe blanche, quatre chandeliers, un missel – c'est l'autel. Toutefois, sur le mur du fond, au-dessus de l'autel, un énorme crucifix dont le christ a la tête rasée et le costume des bagnards. Œuvre très belle*. Quand les bagnards seront installés à chaque banc, les soldats noirs resteront sur les bas-côtés casqués,

---

* Qu'on sache bien qu'aucune nostalgie de leur vie passée n'assombrit le front des forçats. S'ils sont taciturnes et tristes, leur tristesse n'est plus que le fond de cette vie qu'ils vont tenter de mener selon des rites nouveaux, moins inventés par eux qu'inventés par leur désespoir même. Ils sourient quelquefois, ils jouent aussi, mais revient toujours cette tristesse que se renvoient l'un à l'autre chaque visage. Un jour on trouve un serpent : personne ne s'intéressa à lui : il ne faisait pas partie de cet univers. S'ils doivent découvrir les lois des nombres et les appliquer, c'est dans les mains ou les yeux, non dans les astres.

* Mais qui l'exécutera ? Qu'on y songe. Quel bagnard en aura le talent ? Quelle sorte de talent ? Et comment dessiner cette œuvre qui n'est pas ?

en armes, figés, la baïonnette menaçant les forçats age-
nouillés. A la porte de la chapelle, se tient un bagnard
portant une sorte de petit seau – comme un jouet d'enfant
sur les plages – où chacun prend de l'eau bénite. Quatre
bagnards servent la messe et chantent les réponses).

(Gigantesque dans cet endroit, un soldat noir, casqué.
Chants. Les bagnards sont assis. Toute une rangée, sur
un banc avec une large gueule pour chanter d'une voix
de basse, le « veni creator ». Mouvements des lèvres ri-
diculement accentués).

(Puis le ...« Salve mater misericordia, mater dei et mater
fratise »)...

(Roger est assis. Entre lui et son voisin de droite, une
place libre ? – Non, occupée par la photo de Rocky. Le
prévot leur fait signe de se pousser mais Roger montre
la photo. Le prévot n'insiste pas).

(Devant l'autel le curé s'agenouille. Des souliers
énormes, cloutés, soulèvent, troussent la dentelle de
l'aube. C'est l'Elévation).

(Les bagnards s'agenouillent et s'inclinent. Roger, age-
nouillé incline aussi la photo, en face du bagnard crucifix.
Courtoise, discrète, la photo se penche en avant. Enfin
Roger remet droite, verticale, la photo de Rocky ! Elle
tient au banc grâce à un peu de mie de pain que Roger
mastiquait).

(Les soldats noirs, immobiles, impassibles, sont tournés
vers les bagnards. Léger frémissement dans la rangée de
Roger. Ses mains se tendent à droite et à gauche. Il
ramasse des mégots).

(A nouveau, nous passerons quelques secondes au mitard avec Forlano. Les punis tournent toujours. Soudain, un ordre de celui qui commande*) :

LE FORÇAT – Fagots ! Halte.

(Les bagnards s'arrêtent. Immobiles, bras croisés, ils attendent, mais le nouveau prévot veut déranger le rythme instauré par ses prédecesseurs. Il ne se presse pas. Enfin)...

LE FORÇAT – A vos niches !

(Sans bruit, sans aucun bruit, les bagnards vont s'asseoir dans les stalles ménagées dans les murs autour de la cour. Toujours indifférent aux autres Forlano s'assied : mais il est mal à son aise. Il glisse de ce siège en pente où il ne sait pas encore se reposer. Il amorce le geste de se baisser. Ses sabots paraissent énormes. Il en retire ses pieds suants et saignants, enflés, monstrueux. Peut-être pue-t-il, car) :

LE FORÇAT QUI COMMANDE – Planque tes pinceaux, ça slingue.

(Les pieds de Forlano rentrant dans les sabots. Forlano est de plus en plus épuisé. Il semble même, à certains moments qu'il va défaillir, mais il se raffermit, sans aller jusqu'à la dureté – abandonner une certaine souplesse le perdrait).
(Encore la chapelle).

---

* Car ce n'est plus Rocky, sorti le matin même du mitard. Choisissons donc un beau bagnard à l'allure italienne. Plus nerveux que Rocky, et plus cassant. Il croît en sa prestance.

(Huit forçats, mains jointes, sont dans l'allée centrale. Front recueilli. Ils vont chercher la communion. Parmi eux, Roger. Les huit bagnards s'agenouillent devant le prêtre qui dépose l'hostie sur les langues).
(Tout ceci doit être vu en gros plans : gros plans des doigts du curé prenant l'hostie dans le ciboire, gros plan des langues hors de la bouche, gros plan des paupières levées. Que l'on veuille bien songer à ces détails vus à la loupe).
(Pendant ce temps, les bagnards chantent un cantique à la Sainte-Vierge. – « Ave ! Ave ! Ave Maria) ! »
(Les nègres sont toujours impassibles).

(Au réfectoire au même moment. – Rocky, seul à sa table, dans une pose nonchalante, discute avec le surveillant. Ils ont l'air de deux vieux amis qui évoquent des souvenirs).

ROCKY – C'était la belle époque.

LE SURVEILLANT – C'était plus sévère qu'à présent.

ROCKY – C'est ce que je dis. Faut pas croire que les adoucissements nous rendent la vie belle.

LE SURVEILLANT – A nous non plus.

ROCKY – C'est pas pareil. Nous, on n'a pas les mêmes raisons d'aimer la sévérité. Vous vous rappelez de Colonna ? C'était quand même un homme.

LE SURVEILLANT – Faut le reconnaître, c'était un homme.

ROCKY – Descendre trois gâfes tout, en dix minutes, c'est pas donné à tout le monde.

LE SURVEILLANT – Ça se trouvera plus, des gars comme ça. Ça devient trop doux. C'est plus la fatigue d'autrefois. Trop mou. A côté, le petit Forlano c'est une lavette.

ROCKY – Faites-moi pas rigoler. *(Il tousse et crache)* Je l'ai vu au mitard. Ça se conduit comme une fillette. D'accord, ça ne veut rien dire – Remo, par exemple – mais le Forlano c'est une merde.

LE SURVEILLANT – C'est vrai qu'il a pas encore eu le temps. En somme personne ne l'a vu.

ROCKY – Ça se voit qu'il n'aura pas l'étoffe. Pour qu'il devienne quelqu'un faut qu'on l'aide, ou même qu'on fasse tout à sa place. Mais ça aussi ça peut être à envisager.

(C'est encore la chapelle. Tous les bagnards sont debout, et, toujours en silence, s'apprêtent à sortir de l'église. Les surveillants ne les quittent pas de l'œil).
(Roger est debout près du forçat tenant le bénitier. Il est sur le point de passer la porte. Il feint de plonger un doigt dans le petit seau, mais en réalité il prend un mégot que lui tend un bagnard. La main de Roger, rapide, se referme sur le mégot).

UN SURVEILLANT – Qu'est-ce que c'est ?

ROGER – Rien, chef.

(Visage très pur et très naïf de Roger. Il semble bien, en effet, qu'il n'y ait rien*).

LE SURVEILLANT – Montrez.

ROGER – Mais c'est rien, chef. Je prenais de l'eau bénite.

LE SURVEILLANT – Je vous dis de faire voir.

(Roger ouvre sa main. Elle est vide. Le gardien la prend, se penche et la sent, reniflant.)

LE SURVEILLANT – C'était de l'eau bénite ?

ROGER – Je vous le jure, chef.

(Roger plonge sa main dans le petit seau et, du bout du doigt, tend une goutte d'eau bénite au bagnard qui le suit. Celui-ci la cueille du doigt, remercie d'un mouvement de tête, et fait le signe de la croix. Moqueurs, tous les bagnards qui sortent recommencent cette comédie. Le gardien, une fois de plus, est joué).

(Chez le Directeur. Il est dans sa chambre à coucher. C'est une très grande pièce avec un immense lit sculpté. Il est nu sous une robe de chambre légère. Il chantonne. Puis il se couche et il dort).

(La cour du mitard. Sous le même soleil les punis tournent toujours. Le surveillant se lave les pieds. Mais

---

* Le prêtre, tout à l'heure, lui a, très réellement, donné le Bon Dieu sans confession.

LE BAGNE

la grille s'ouvre. Et entre Ferrand. Il est un instant décontenancé).

LE SURVEILLANT – Ferrand, vous serez le nouveau prévot. *(au prévot qui commande)* Allez, toi, la flanelle, passe dans la ronde.

(L'ancien prévot, sans un mot, prend une place dans la ronde. Ferrand s'approche de la tinette. Il y pisse d'abord, puis il commence les commandements).

FERRAND – Un, deux ! Un, deux ! En cadence !

LE SURVEILLANT – Bien Ferrand. Fais-les arquer. T'auras double ration.

(Son regard se pose sur Santé Forlano qui marche avec peine, couvert de poussière et de sueur. Un léger nuage de poussière est soulevé par la ronde des punis).

(A l'intérieur du bagne, dans la cour, près d'un coin de mur, dans un endroit isolé. Rocky et Roger sont seuls. Les mains de Roger, dont nous n'avons pas parlé, sont grosses et rouges. Elles ne sont pas en accord avec la délicatesse de son visage. Quand, après les avoir sorties de ses poches il les ouvre devant Rocky, elles sont pleines de mégots, qui passent dans celles de Rocky. Rocky tousse et crache. Roger, inquiet, le regarde tousser).

ROGER – Ça va pas ?

(Rocky met les mégots dans sa poche).

ROCKY – Y en n'a pas larche.

(Puis il en porte un à sa bouche et il le chique).

ROGER – Y avait que ça.

ROGER – Et moi ?

(Rocky lui envoie la chique en crachant. Roger l'attrape dans sa bouche et commence à chiquer).

ROGER – *(souriant)* C'est tout ?

ROCKY – Ça suffit.

ROGER – Et Forlano.

ROCKY – Sans intérêt.

ROGER – C'est vrai *(ironique)*.

ROCKY – Il a une aiguille.

(Rocky met ses mains dans ses poches et s'éloigne. Roger le regarde en souriant).

(La nuit est venue. Dans le corps de garde, les nègres mangent avec leurs doigts. Ils s'aspergent de sauce comme le curé asperge les fidèles. Ils rient aux éclats et chantent. Soudain, ils sont au garde à vous, les gamelles à la main. Marchetti vient d'entrer).

MARCHETTI – Samba !

(Un grand nègre s'approche. Le surveillant lui tend un pied. Le nègre s'agenouille et essuie les chaussures vernies du surveillant. Durant toute l'opération les nègres restent immobiles).

MARCHETTI – En route !

(Deux nègres saisissent leur casque, se coiffent, prennent leur fusil, bouclent leur ceinture, et sortent avec Marchetti pour la ronde).
(Rocky toujours plus agressif, regarde le surveillant dans les yeux. Visiblement, il le provoque : c'est le messager du malheur, c'est par lui qu'arrive la détestable nouvelle. Il faut que cette rage qui vient de le saisir découvre sur le champ un objet).

ROCKY – Ça te regarde, salope ?

LE SURVEILLANT – Rocky, mon vieux, ça ne va pas ? Allez, calme-toi...

(Rocky s'approche, toujours plus menaçant, les deux mains toujours passées sur le devant, entre la ceinture et le pantalon. Les autres forçats sont aussi immobiles que des statues. Les gardiens, autant que Rocky savent qu'ils assistent figés, s'il y a combat. Tout le monde sent que le moment est très grave : quelqu'un peut mourir).

ROCKY – Tu veux aussi mon poing sur ta sale gueule ?

LE SURVEILLANT – *(triste)* J'ai compris, va. Tu veux le mitard.

ROCKY – Emmène-moi et cherche pas d'explications.

(La cour du mitard. La scène se passera entre Rocky, Ferrand, et Santé Forlano).
(Toujours immobile près de la tinette, Ferrand hurle ses commandements. Les punis tournent en rond, tou-

*jours fatigués, toujours dans la poussière, toujours
écrasés par le soleil. Le surveillant prend ses bains de
pied. On entend les clapotis dans le bassin).*

FERRAND – Un, deux ! un, deux ! En cadence ! Levez
vos pattes.

*(Forlano, silencieux et souriant, tourne comme les
autres. Il s'efforce de ne jamais porter son regard sur
Rocky. Mais il sait déjà qu'il est vainqueur dans un
combat dont il ignore les données).*

FERRAND – Levez vos pattes amochées, j'ai dit. Toi
comme les autres, Forlano.

*(Rocky est de plus en plus nerveux. Il est dans la
ronde, il marche au pas, mais on le sent prêt à bondir).*

FERRAND – Et ne te marre pas comme si tu te foutais
de ma gueule. Ça m'impressionne pas les tombeurs qui
se font la réputation dans les journaux. C'est ici que tu
dois donner des preuves. Et marche à la même distance
que les autres, ou je vais amocher ta petite gueule.

*(Rocky soudain, pris d'un calme apparent, joué à
l'extrême, sort de la ronde et s'approche de Ferrand. Ils
se toisent).*
*(C'est à voix basse, presque en murmurant, qu'ils vont
maintenant se mesurer et se défier. Leur colère semble
avoir la témérité, la délicatesse d'un bibelot précieux. Ils
la manient avec douceur).*

ROCKY – Laisse-le tomber.

FERRAND – C'est à moi que tu causes ?

(Trois gardiens se sont approchés du gardien prenant des bains de pied. Aussi immobiles que les deux bagnards, sans remuer les lèvres, ils vont commenter le drame qui va se jouer au soleil. Les punis exagèrent leur indifférence. En réalité, ils vivent avec passion cette scène qui relève de l'univers moral qu'ils acceptent).

UN SURVEILLANT – Les gars, ça va chier. Les Caïds vont se mordre.

UN AUTRE – C'est courant.

ROCKY – Oui, c'est à moi que t'auras à faire.

(Rocky et Ferrand s'affrontent toujours. Mais Ferrand s'avance sur Rocky. Soudain le poing de Rocky part. Les deux bagnards se battent. Les punis tournent à la même cadence. Les surveillants ne disent pas un mot. Forlano est ironique. Mais très subtilement, ses yeux seuls sourient. Rocky et Ferrand se roulent dans la poussière. Le surveillant, debout dans la bassine scande la marche).

LE SURVEILLANT – Un, deux ! Un, deux ! En cadence.

(Les deux corps se roulent par terre. Ils se donnent des coups mais de plus en plus faibles, jusqu'au ralenti. Enfin Rocky se relève, et martèle à coups de pieds Ferrand étendu. Visages tuméfiés de Ferrand et de Rocky. Maintenant c'est à peine s'ils cognent. Ils sont sans force. Trois secondes Ferrand s'arrête de répondre aux coups. Un éclair d'affollement passe dans ses yeux. Il semble chercher une ruse, et il ne trouve rien. Il pleure).

LE SURVEILLANT – Ça suffit. Prends la place de prévot, Rocky. Ferrand, va te mettre dans la ronde puisque t'es une lavette.

(Ferrand se relève lentement, il se brosse de la main, et va se placer dans la ronde. Rocky, qui saigne du nez remplace le prévot qui pleure. Je veux dire des yeux de qui, doucement, coulent des larmes. A peine redressé, Rocky prend le commandement).

ROCKY – Marquez la cadence, j'ai dit ! Un, deux ! Un, deux ! Un, ...

(On termine sur le visage ironique de Forlano).
(Toute cette scène s'est déroulée sous un ciel, un soleil torrides, dans une poussière lourde. Les visages sont en sueur. Qu'on n'oublie pas, surtout, que les deux combattants sont âgés d'une quarantaine d'années. Mais si l'humiliation de Ferrand lui cause quelques larmes, il ne gardera pas de rancune à l'égard de son rival. Comme les autres bagnards, il marche, bras croisés. Sauf que sa blouse et son pantalon sont couverts de poussière).

(Cinq ou six surveillants à l'ombre, boivent le pernod. Ils sont assis devant une table où se trouvent les verres et la bouteille. Il y a un grand négligé dans leur tenue et dans leurs attitudes. L'un d'eux siffle un air de valse, en se balançant sur son fauteuil d'osier).

PREMIER SURVEILLANT – Moi, non, je rentre dans trois mois.

DEUXIÈME SURVEILLANT – Tu prends combien de congé, six mois ?

PREMIER SURVEILLANT – Oui.

169   LE BAGNE

DEUXIÈME SURVEILLANT – Après tu demanderas quoi ? Clairvaux ou Poissy.

(Arrive le surveillant Marchetti. Il s'assied près d'eux. Marchetti, même en dehors des heures de service a une tenue réglementaire parfaite. « J'suis l'inspec maison »... dit-il de lui. La chaleur ne semble pas l'incommoder. Il connaît la gêne que cause toujours chez ses collègues, son approche, il semble en jouir).

PREMIER SURVEILLANT – J'ai pas encore choisi. Poissy c'est trop près de Paris.

MARCHETTI – Oui, mais Clairvaux c'est plus dur.

TROISIÈME SURVEILLANT – C'est pareil.

MARCHETTI – Je parle pour les fagots. A Poissy ils se la coulent un peu trop douce.

DEUXIÈME SURVEILLANT – J'aime mieux ça. On a moins d'emmerdements.

MARCHETTI – Oui, mais c'est moins passionnant. Ici au moins y a de quoi reluire. J'ai même envie de m'en payer avec Forlano. Il commence à prendre un peu d'importance.

TROISIÈME SURVEILLANT – Avec qui ?

MARCHETTI – Forlano Santé.

DEUX SURVEILLANTS – Qui c'est, celui-là.

MARCHETTI – Un nouveau.

PREMIER SURVEILLANT – Tu les connais déjà par leurs noms ?

JEAN GENET   170

(Au séchoir. La touche. On parle de Forlano).
(Les forçats travaillant à cet atelier sont réunis en rond, entre deux rangées de draps, échappant ainsi à la vue du surveillant).
(Le groupe de six forçats que nous avons vus plus haut, avec des gestes extrêmement précis a roulé une cigarette et battu un briquet fait avec une boîte de cirage. Parmi eux Roger. Il tire, se penche et semble baiser sur la bouche, à tour de rôle, les cinq forçats. En fait, sur la bouche tendue en cul de poule d'un forçat, Roger pose la sienne, et ainsi lui coule dans la bouche un peu de la fumée qu'il tire du minuscule mégot. S'il a été délégué par tout le groupe pour passer cette fumée de bouche en bouche, il en est le comptable définitif car c'est lui qui peut accorder une goulée plus ou moins importante. Il fut élu à cette charge, mais par un code que l'on peut supposer truqué.)

UN FORÇAT – Si ce qu'on dit est vrai, ce sera un terrible, Forlano.

(Roger hausse les épaules. Il semble pénétré par son rôle, et il l'accomplit avec beaucoup de gaîté. Que l'on ose parler lors de ce rite, lui paraît indécent).

UN AUTRE – On l'attend. On verra ce qu'il va donner à sa sortie.

UN AUTRE – *(à Roger)* Qu'est-ce qu'il t'a dit, Rocky ?

(Roger tire une autre fois sur le minuscule mégot, au risque de se brûler les lèvres, puis il le retire et passe de la fumée dans la bouche de celui qui est près de lui, lequel l'aspire et la transmet au suivant).

ROGER – Rien.

UN BAGNARD – Moi, les gars qui arrivent au bagne pour se faire adorer, ça me fatigue.

(La cour du mitard. C'est déjà le soir. La journée est finie. Le soleil est aussi terrible. Nous voyons les jambes et les pieds des punis qui rentrent au mitard. Dans une main, la tinette. Le chapeau pendu dans le dos. Une grande fatigue semble s'être abattue sur eux. Forlano est le dernier. Rocky le suit. Forlano s'arrête pile. Rocky bute contre lui. Forlano se retourne, méchant. Le visage terrible, où les yeux indiquent une volonté inéluctable, de Forlano touche presque le visage souriant de Rocky. En fait, très manifestement, Rocky a fait un faux-mouvement de telle façon que son corps tout entier se plaque contre le dos de Forlano, en insistant surtout pour que sa braguette se pose contre les fesses de l'autre. Forlano n'a pas bronché. Il ne s'est pas déplacé. Simplement il a tourné la tête et ses yeux ont dit sa colère et son mépris. Il semble que les autres bagnards n'aient rien remarqué).

VOIX DE MARCHETTI – Vous dérangez pas, je suis pas là.

(Marchetti est debout à l'entrée du mitard et surveille les punis qui rentrent et déjà se dévètent. Son visage est légèrement narquois).

MARCHETTI – *(aux punis)* Rentrez en ordre, vous autres.

(La file des punis rentre. Parmi eux, Ferrand, l'air penaud. La fraîcheur de l'intérieur du mitard, chaque soir cependant découverte, et chaque soir plus neuve,

*surprend les punis. Tout leur corps, et leurs visages,
tout à l'heure harassé, maintenant se recompose. Ils
deviennent une plante asséchée qu'on arrose. L'un d'eux
même, lâche un pet : tous les visages éprouvent le sou-
lagement causé par ce pet. Personne ne songe à rire).
(Les forçats entrent un à un et s'arrêtent devant leur
porte. On cadre sur Forlano devant la porte de sa cellule.
Il se dévêt. Il semble maintenant qu'il ait pris le rythme
de tous les punis. Rocky arrive à sa hauteur et le regarde,
méchant. Forlano se tourne légèrement vers lui et sourit).*

FORLANO – Elles ont pas duré longtemps, tes vacances.

*(Durant ces répliques, l'un et l'autre ainsi que les autres
punis – se dévêtent et posent leurs vêtements à la porte
de la cellule, par terre. Leurs voix sont très assourdies.
A la dernière réplique ils sont complètement nus).*

ROCKY – C'est ici que je suis en vacances.

FORLANO – T'as mal choisi.

ROCKY – Pourquoi ?

FORLANO – Une idée. Tu veux mon portrait ?

ROCKY – *(souriant)* Tu l'as sur toi ?

*(Rocky hésite, avance enfin la main, mais Forlano
recule, souriant toujours, et avance le bras : dans sa
main il tient l'aiguille, menaçante. Les traits de Rocky se
durcissent. Pendant ce dialogue, on entend ouvrir et
fermer des verrous. Marchetti s'approche. Chaque fois
qu'il passe à proximité d'une porte il la ferme à double
tour, puis il passe à la suivante. Entre chaque porte,*

LE BAGNE

alors qu'il se déplace, son visage est neutre : quand il la boucle, sa gueule se durcit et en même temps devient radieuse).

ROCKY – D'accord. Mais je t'aurai autrement.

FORLANO – A l'usure ? T'auras pas le temps.

ROCKY – Tu me défies ?

FORLANO – Je m'appelle Santé Forlano.

MARCHETTI – *(de loin)* Ça continue ?

(Rocky, qui, nu, était baissé comme s'il arrangeait ses vêtements, se relève, et tend, vers Forlano, sa main fermée. Forlano hésite à tendre la sienne : Rocky lui offre des mégots. Un des nègres*, armé, s'est précipité et veut saisir les mégots, mais Marchetti, qui s'approchait, et a vu la scène, intervient).

MARCHETTI – Laisse, fiston, je vais m'en occuper.

ROCKY – On sera deux à s'en occuper, Marchetti.

(Marchetti ricane, méchamment. Il hausse les épaules. Il ouvre la porte qui précède celle de Forlano. Forlano murmure) :

FORLANO – Rocky ?

(Rocky se tourne vers Forlano. Ils se tendent la main. Visage bouleversé de Rocky. Visage souriant de Forlano.

---

* Depuis un moment nous n'avons guère parlé des couleurs ? Qu'on veuille bien se souvenir que les deux nègres qui accompagnent Marchetti sont deux gaillards aux uniformes noirs. Marchetti est en blanc. Casque colonial blanc. Souliers blancs. Par les fenêtres donnant sur le couloir, le ciel est bleu.

Gros plan de la main de Rocky : Forlano vient de lui donner son aiguille. Il était temps, Marchetti s'approche. Le nègre a tout vu. Marchetti ouvre la porte de la cellule où il pousse Forlano. Puis il ferme la porte. Il se dirige vers Rocky. Rocky entre dans la cellule que boucle Marchetti).

ROCKY – N'oublie pas, Marchetti, on sera deux.

(C'est ensuite au tour de Ferrand).
(La disposition des cellules de ces trois bagnards sera donc, en partant de la droite : Forlano, Rocky, Ferrand. Marchetti fait sonner ses clés. Les deux nègres se rapprochent de lui. Ils sortent. A peine sortis, on entend une chanson, chantée par une voix rauque, une chanson imbécile, composée avec des mots inventés).

(Le lendemain matin, au lavabo du mitard, Forlano, nu, se savonne. Puis il se rince le torse. Rocky s'approche. Forlano s'essuie. Rocky passe sa main derrière l'oreille de Forlano. Sourire de Forlano).

ROCKY – T'avais du savon.

(Cour du mitard. Les punis marchent en rond. Forlano trébuche. Rocky s'approche de lui).

ROCKY – Un, deux ! Un, deux !

ROCKY – Ça ne va pas ?

FORLANO – C'est les sabots qui me font mal.

ROCKY – T'aimerais les enlever ?

FORLANO – J'ai le droit ?

ROCKY – Oui, si je te le donne. *(à voix plus haute)* Chef, j'excepte Forlano de sabots !

(Le surveillant continue à prendre ses bains de pieds. Il a un regard en biais).

LE SURVEILLANT – D'accord !

(Forlano, souriant, quitte ses sabots et continue la ronde pieds nus. On entend un grondement dans la ronde).

ROCKY – Rentrez vos groins, fagots, ou je vais cogner.

(Cour du mitard. Les punis sont assis sur la stalle inclinée, que j'ai décrite. Pieds nus, Forlano n'est pas assis dans cette position incommode, il est accroupi par terre, presqu'allongé, s'appuyant sur un coude. Près de lui le pied de Rocky).

ROCKY – T'as plus soif.

FORLANO – Non, merci Rocky.

(La main de Forlano caresse le sabot de Rocky. Doucement, le pied de Rocky, poussiéreux, sort du sabot et caresse à son tour la main de Forlano. Or, le regard de Forlano, si l'on pouvait le voir, sous ses paupières baissées n'est pas tendre mais cruel).

(Quelques heures après, la nuit venue, dans le couloir du mitard. Accompagné de ses deux nègres armés, Marchetti inspecte les cellules. Devant chaque porte il s'arrête,

soulève l'œilleton et regarde. Tout son corps est collé à la porte, comme s'il la baisait. Il marche sans faire de bruit, les jambes lourdes, comme arquées, sur lesquelles il fléchit. Il doit donner l'impression de certains voyeurs, très excités. Marchetti soulève un œilleton, il colle son œil mais le retire précipitamment. Les nègres l'observent avec leur impassibilité coutumière. Il a un crachat collé à la paupière et qui coule le long de sa joue. Le crachat, réalisé avec de la farine délayée, doit être lourd, épais, onctueux, et très exactement photographié. Sous le regard indifférent des nègres, Marchetti s'essuie. Quand il s'éloigne de la porte on peut lire sur l'étiquette : Ferrand Robert. Le visage rageur, mais procédant comme plus haut, Marchetti s'approche de la cellule de Rocky. Il colle son œil, de façon que l'arcade sourcilière adhère à l'œilleton. Rocky est debout dans la cellule, le dos à la porte. Il fume. Marchetti mumure) :

MARCHETTI – Alors, Rocky, on sera deux ?

(Rocky se retourne, d'un seul bloc, face à la porte).

ROCKY – Salope !

(Rocky tousse, et fume, dirigeant la fumée vers Marchetti, qui rabat l'œilleton. Rocky se précipite vers la porte où il colle son oreille. Marchetti s'approche de la cellule de Forlano. Il opère comme toujours : avec la délicatesse d'un contrôleur de race, doucement, il soulève l'œilleton et épie. Tout son corps est collé contre la porte*. Son cœur bat. Forlano est debout, nu aussi, dans l'angle de

---

* Utilisez ici, l'expression : « il lui colle au cul », paraîtrait juste. Il se vautre sur elle. Il voudrait s'imposer à ses lois. Marchetti voudrait être cette porte de cellule.

la cellule. Il pleure en silence. Marchetti fait un gros effort sur lui-même pour que sa rage et sa colère ne passent pas dans sa voix et n'y grondent pas. Cette tension le fait plus cruel).

MARCHETTI – Alors, petite ordure, ça chiale douce-ment ? Rassure-toi, t'as pas fini. Je vais m'arranger pour t'en faire verser du liquide. Avec moi tu vas pisser du sang et chier de l'eau chaude. C'est vache un gâfe, hein, petite lopette ? Ce qui me faut c'est voir ta trouille.

(Forlano se tait. Marchetti rabat l'œilleton et se dirige vers la porte de Rocky. Il ouvre l'œilleton, approche son œil. Il pousse un cri. Il recule. Il titube et tombe, l'aiguille fichée dans l'œil, devant la porte de Ferrand. Marchetti est maintenant allongé par terre, convulsivé, l'aiguille dans l'œil. Il a un soubresaut, un raidissement, sa bouche s'ouvre. Un autre soubresaut de tout son corps arqué. Il est mort. Presqu'indifférents, les deux nègres s'approchent du cadavre. Ils se penchent sur lui. L'un deux retire l'aiguille, la regarde, et d'un geste très habile, sans même se baisser, la renvoie exactement dans le trou même qu'elle avait fait dans l'œil. Un des nègres donne à Marchetti (à son cadavre) un léger coup de pied. Prenant soin d'éteindre l'électricité, ils sortent. Le cadavre de Marchetti reste seul dans la nuit, au milieu du couloir. Derrière la porte de sa cellule, Rocky a deviné toute la scène. Il a pressenti la mort de Marchetti. Il va s'accroupir dans un coin. Il tousse).

(Les nègres qui servaient de garde du corps à Marchetti, se mettent soudain à courir. Puis, simulant soudain la panique, ils s'arrêtent au milieu de la cour ; ils font appel à leurs talents de comédien, et avec l'angoisse dans la

voix ils appellent. Une multitude de nègres, surgis d'entre les bâtiments, accourent, l'arme à la main, et c'est, dans la nuit, un conciliabule de noirs parlant d'une voix gutturale, et riant aux éclats. La lumière du phare, de temps en temps les éclaire).

(Le bureau du directeur. Le directeur est assis derrière la table. A sa droite le sous-directeur. En face, entre deux gardiens, Rocky, enchaîné. Le directeur est nonchalant).

(Il interroge Rocky avec noblesse).

LE DIRECTEUR – Si nous ne pouvons rien savoir par vous, nous le saurons par les autres. Le bagne bavarde.

Rocky, debout, ne dit pas un mot.

LE DIRECTEUR – *(aux gardiens)* Emmenez-le.

(Les deux gardiens saisissent Rocky par le bras, le font tourner sur place et le font sortir dans un bruit de chaînes. Un moment, les deux hommes demeurent perplexes. Le directeur aimerait trouver la solution de ce drame – son origine, ses raisons, et toutes ses circonstances – avec le seul recours de esprit. Mais surtout que cet exercice soit mené avec extrême élégance. Qu'aucun geste vulgaire, aucune parole déplacée ne dérange l'image stricte qu'il veut avoir et donner de lui-même).

(On entend, très assourdie, la ronde des punis).

LE SOUS-DIRECTEUR – Laissez-les moi tous les deux, je me charge de les faire avouer.

LE DIRECTEUR – Non.

LE SOUS-DIRECTEUR – Il y en a un qui ment.

LE DIRECTEUR – Peut-être mentent-ils tous les deux. A la fois pour se perdre et pour en sauver un troisième.

(Au gardien) Faites entrer l'autre. *(Un temps)* Et le bagne sera tout entier complice.

(Entre Ferrand. Deux gardiens l'encadrent. Dès la porte, d'un geste large, il enlève son chapeau de paille, qu'il tiendra à la main, le long de sa cuisse. Il est triste. Il baisse la tête. A un moment donné, quand le Directeur dira « ni vous ni Rocky » sa bouche s'ouvre pour protester, mais il se contentera de hausser les épaules).

LE DIRECTEUR – Ferrand, je n'ai pas le temps ni le goût d'entrer dans vos calculs sentimentaux. Ni vous ni Rocky n'avez tué le surveillant Marchetti. Il est en effet allé mourir entre vos deux portes, afin sans doute de proposer dans la mort l'équivoque de sa vie, mais je ne crois ni lui, ni vous, ni Rocky.

(Ferrand répond avec douceur et tristesse) :

FERRAND – Je jure que c'est moi.

LE DIRECTEUR – Rocky, il y a trois minutes, à cette même place a prononcé le même serment. Ni lui ni vous n'aviez l'aiguille. Comme à Rocky, je vous inflige trente jours de cachot pour vous être accusé à tort, risquant ainsi que je commette une injustice.

(Ferrand écoute, indifférent, le Directeur. Le Directeur hésite quelques secondes. Et ...)

LE DIRECTEUR – Je puis réduire la peine si vous dites le nom de l'assassin.

FERRAND – Ferrand.

LE DIRECTEUR – Idiot. Vous méritez la guillotine pour votre bêtise.

(Ferrand, sous l'insulte, s'est redressé, et c'est ce qui l'a perdu – ou sauvé – car le Directeur, plus tard, en songeant à cette scène, se dira que s'il était le véritable assassin de Marchetti, comme il le prétend, il se préoccuperait peu d'être insulté ou non, d'être ou non tenu pour un idiot ou une lavette : son amour propre ne jouerait plus).

(Le Directeur ne peut plus se maîtriser. Il se soulève de son fauteuil, et il hurle).

LE DIRECTEUR – Enfermez-le ! Enfermez-le tout de suite ! Mettez-lui les chaînes ! Enormes. Pesantes ! Coupable, vous ? Vous ne vous êtes pas regardé, vous qui en tuez un par quinzaine ! Un miroir ! Gardes, un miroir pour qu'il y voie ses bons yeux ! Vous coupable, capable d'un meurtre ! Pourquoi pas d'une guerre, d'une peste ou d'un cyclone ! Vous, victime venue au bagne presque par erreur, vous, tuer un de mes gardiens avec une aiguille à tricoter ! Enfermez-le !

(Le Directeur, qui bavant, écumant, s'était levé, retombe sur sa chaise, s'éponge, cependant que les gardes emmènent Ferrand, très calme. Souriant et glacial, le sous-directeur tend au directeur une rose).

(Soudain calme). Et faites entrer l'Afrique.

LE SOUS-DIRECTEUR – Vraiment, vous ne voulez pas de mes méthodes ?

(Deux soldats et un sergent noirs, entrent. Ils font le salut, et restent au garde à vous).

LE DIRECTEUR – *(Le nez dans sa fleur)* Non.

LE DIRECTEUR – *(au sergent)* Qu'ont-ils vu ? Encore une fois, que savent-ils ?

(Les soldats et le sergent échangent quelques répliques dans leur langue sauvage).

LE SERGENT – Voici leur réponse exacte : « S'il passe du fleuve au rivage l'alligator ne grimpe pas aux palmiers. »

LE DIRECTEUR – Qui a tué Monsieur Marchetti ?

LE SERGENT – L'aiguille.

LE DIRECTEUR – Qui tenait l'aiguille ?

LE SERGENT – Elle venait d'un trou.

LE DIRECTEUR – Qui était derrière ?

LE SERGENT – La nuit.

(Il est évident que la perplexité du Directeur les amuse. Ce drame joué entre les blancs leur semble un très léger divertissement. Ils sourient beaucoup).

LE DIRECTEUR – *(tristement)* Emmenez vos hommes.

(Les trois noirs sortent du prétoire).

(Il faudra photographier exactement l'écume à la bouche du Directeur, le mouvement de ses narines pour se calmer, les bagues du sous-directeur, la barbe non rasée de Rocky et de Ferrand).

(L'enterrement de Marchetti. Le cimetière se trouve en plein désert, environ à un kilomètre du bagne. C'est un carré clos de murs blancs, et très bas. Chaque tombe n'est qu'un monticule de sable surmonté d'une courte stèle carrée où un numéro est inscrit. Dans ce cimetière,

un enclos plus petit. Il n'y a que sept ou huit tombes, surmontées de monuments funéraires très travaillés. Avec des couronnes de perles multicolores. Une fosse est creusée. Nous sommes d'abord dans la cour du bagne. Ensemble, comme s'ils avaient répété ce mouvement, tous les bagnards, se découvrent, comme je l'ai dit, en gardant au-dessus de leur tête le chapeau en guise de parasol. L'aumônier, accompagné de deux bagnards, l'un d'eux tient un bénitier, soulevant les pans de sa chape noire, sort de la chapelle. Il chante).

L'AUMÔNIER – « ... solvet seclem in favilla ».

(Il est d'abord précédé d'un bagnard portant une croix. L'aumônier est coiffé du casque colonial. Le bagnard a gardé son chapeau. Puis viennent les surveillants portant le cercueil recouvert d'un drapeau tricolore. Puis le Directeur et les gardiens. Les deux premiers portent une énorme couronne en perles).

(Le cortège passe devant les bagnards qui, au fur et à mesure se découvrent et s'agenouillent. Beaucoup chantent le psaume cité plus haut, mais en en altérant les paroles qu'ils remplacent par une improvisation obscène, ou par un bourdonnement bouche fermée. On ne lit aucun sentiment sur les visages).

(Le cortège est encadré de soldats noirs qui marchent, impassibles, leurs fusils dirigés non à terre, comme le veut l'usage, mais contre les bagnards immobiles. Un forçat tient dans ses doigts un chapelet qu'il égrène. Nous passons devant le groupe de forçats où se tient, au premier rang, Roger. Un bagnard, à côté de lui, se tourne légèrement vers lui).

LE BAGNE

LE BAGNARD – On te l'a quand même démoli, ton Marchetti. T'as plus personne, maintenant, pour te défendre. A moins qu'il t'expédie, un ange ou deux du ciel. Tu ne peux pas non plus compter sur Rocky. En somme t'es dans une drôle de mouscaille.

(Roger demeure immobile, son visage fermé, douloureux).

UN DEUXIÈME BAGNARD – *(à côté du premier)* Fous-lui la paix.

(Roger se tourne et se penche légèrement pour sourire à celui qui vient de parler. On entend les chants liturgiques. Le cortège passe devant Roger qui fixe le cercueil).

L'AUMÔNIER – « Tuba mirum spargem unum... ».

(Nous reprenons le cortège dans le désert. Il n'est plus composé que des gardiens et du Directeur. Les bagnards n'étaient pas invités à l'ensevelissement. Il arrive au petit cimetière. Il marche en silence, sous ce même soleil, dans cette lumière terrible où tout se passe, où toute action semble séchée, bue, carbonisée, volatilisée. Arrivé à la fosse, on dépose le cercueil. Le curé bénit la fosse. Les nègres présentent les armes. A-t-on déjà vu une arme, seule, détachée de tout ce qui l'environne, à un enterrement) ?

(Couloir du mitard. Vue, de dos, du gardien se lavant les pieds. On entend la marche en cadence des soldats. Plan de la cour du mitard. Les punis tournent toujours, bras croisés. Ferrand commande la cadence).

JEAN GENET   184

FERRAND – Bouchez vos gueules et faites silence !
Un... deux... Faites sonner les sabots ! Un... deux !...
Eteignez les sabots ! Un... deux...

(Ainsi, tantôt frappant le sol, tantôt semblant voler sur la poussière de la cour, les punis continuent leur ronde. Il joue lui-même avec les petits sabots – attachés l'un à l'autre par un cordonnet – qu'il dissimulait au début du récit. Tout à coup il les lance par la lucarne d'une des cellules, puis il met ses mains dans ses poches et hurle) :

FERRAND – La cadence, bordel ! Un, deux ! Un, deux !...

(Soudain, coup de sifflet du gardien qui, montre en main, se dresse derrière les barreaux de la grille, debout dans la bassine pleine d'eau).

LE SURVEILLANT – La minute !

FERRAND – *(d'une voix douce)* Fagots, section, halte !

(Les bagnards s'arrêtent pile et demeurent au garde-à-vous).

FERRAND – Face à moi !

(Les bagnards opèrent un quart de tour, en direction du centre de la cour, de la tinette et de Ferrand).

FERRAND – Fagots, vos bonnets !

(Chaque bagnard soulève son chapeau et le tient au-dessus de sa tête. Le surveillant est debout, pieds nus dans sa bassine et salue militairement. Les punis, doucement, respectueusement, vont se reposer en s'asseyant sur les bornes dressées le long du mur. Ferrand est infiniment triste. De temps en temps il crache avec une adresse admirable, d'où qu'il soit, dans la tinette).

(Intérieur de la cellule de Rocky. Il marche en diago-nale, d'un angle à l'autre. Il est complètement nu. On entend au loin la Marseillaise. Rocky s'arrête et, frappant à plat sa main sur sa cuisse, il fait le geste de présenter sa queue, et enroué, il murmure) : « v'la le manche des trois couleurs ! »

(Intérieur de la cellule de Forlano, dans la même minute. Il est debout et très triste. Son orteil joue avec les deux minuscules sabots qu'il n'a même pas ramassés. Il sait qu'il ne quittera jamais le mitard. Il a commencé sa descente au tombeau. Sa tristesse est donc en même temps assez légère. La Marseillaise qu'il entend au loin, fait partie des fastes qui accompagnent son départ chez les ombres. Il s'étonne moins d'avoir froid, qu'il sait que sous le soleil le bagne brûle. Rocky, Ferrand, Marchetti, dans sa mémoire n'ont aucune place. Le Directeur est gigantesque).

(Le cimetière. Avec des cordes deux bagnards des-cendent le cercueil dans la fosse. Les soldats noirs pré-sentent les armes. Le curé bénit une dernière fois le cercueil).

(Tout le monde s'en va. Les deux bagnards restés seuls, commencent, avec des pelles à jeter le sable en riant sur le cercueil, mais l'un des bagnards tout à coup semble se souvenir. De sa blouse il tire une petite fleur en perles, et souriant, la jette dans la fosse).

LE DEUXIÈME FORÇAT – De Roger ?

LE PREMIER FORÇAT – Tu piges vite.

(Ils se remettent au travail doucement, en sifflant une valse).

(Nous reprenons le petit cortège qui rentre en débandade, sauf le détachement de nègres qui marche au pas, l'arme sur l'épaule. Le Directeur échange des mots avec l'aumônier).

LE DIRECTEUR – Mon opinion est faite.

L'AUMÔNIER – Puis-je aller le voir ?

LE DIRECTEUR – Tout de suite après sa condamnation à mort.

L'AUMÔNIER – Vous le condamnerez à mort ?

LE DIRECTEUR – Voudriez-vous que je m'en prive ?

L'AUMÔNIER – Vous ne l'avez pas encore entendu.

(Le Directeur et l'aumônier marchent côte à côte, dans le sable, dans la lumière, dans la poussière. L'aumônier par-dessus sa soutane a son surplis de dentelle. Devant eux, un forçat portant la croix, le bénitier, et la chape noire de la messe des morts. Autour d'eux, le désert. En arrière, assez loin, le sous-directeur et les surveillants. Chacun sait que Marchetti ne devait plus revoir la France. Il avait accepté le jeu avec les bagnards. Tout devait le conduire à cette mort. Vaguement délivrés par la mort de Marchetti, les surveillants le plaignent. Ils savent que c'était un mauvais ange arrivé au milieu d'eux, les bons).

LE DIRECTEUR – Je le sais coupable.

L'AUMÔNIER – Et l'aveu de Ferrand et de Rocky ?

LE DIRECTEUR – Si Forlano n'est pas coupable du fait...

L'AUMÔNIER – Et bien ?

LE DIRECTEUR – ... son innocence est encore plus criminelle.

(Au mitard. Dans la cour, les punis tournent toujours. Ferrand crie toujours ses commandements, mais sans brutalité, sans conviction, avec une sorte de douceur. Il sait que le bagne entier exige la culpabilité de Forlano, le bagne exige que Ferrand lui coupe le cou. Les punis sont encore plus hostiles que les autres bagnards à Forlano. Ils haïssent sa beauté, parce qu'elle est humaine, visible, de plein-pied. Cependant qu'il continue la ronde, un puni tourne la tête et ouvre la bouche toute grande. Derrière lui, sans que son visage trahisse l'effort, un puni crache. Et devant celui-là, tournant légèrement la tête, juste assez pour ce qu'il veut faire, un autre puni reçoit le crachat dans la bouche).

FERRAND – Un, deux !... Un, deux !...

(Autant qu'il se peut, nous enregistrerons ce crachat dans toute son épaisseur, dans toute sa présence, dans son poids, dans sa consistance : il est blanc, lourd, épais. Les punis l'envoient et le reçoivent dans leur bouche – avec quelle adresse ! – sans dégoût. On peut voir encore quatre punis qui se passent le crachat, d'une bouche à l'autre. L'opération accomplie, les visages demeurent impénétrables).

(Dans la bouche d'un forçat, le crachat que le langage populaire compare à une huître, ressemble plutôt à un gros ver blanc, lui digne garde dans le nez d'une joue. Ferrand semble ne rien voir de la comédie. Mais le surveillant, les pieds dans l'eau, se caressant les mollets, jouant avec ses orteils, est très attentif. Il n'interviendra jamais. Il nous faut tâcher de rendre sensible un certain changement dans l'allure des punis : plus de fermeté dans la démarche, plus de sûreté, leur mollet se tend, la cuisse vibre, le regard a une fixité inhabituelle. Bref ils ne rêvent ni ne somnolent : ils agissent. Le forçat qui roulait dans sa bouche le crachat, comme un communiant l'hostie, le crache*. Nous suivons la trajectoire jusqu'à la fenêtre de Forlano, où il est projeté. Les bagnards n'ont cessé de tourner, le soleil de cuire, le gâfe d'épier, Ferrand de se taire. Soudain la fatigue accable les forçats, leur démarche est molle, le surveillant s'arrachant à sa bassine pleine d'eau fraîche se sauve, Ferrand reprend sa molle scansion).

FERRAND – Un, deux... ! Un, deux ! Marchez au pas, les gars. Au pas, ou je vais cogner.

(Intérieur de la cellule de Forlano. Il joue avec les petits sabots, qui ressemblent assez à une paire de

---

* Au moment de vous parler de la vigueur et de la précision du jet, je m'aperçois que je n'ai rien dit quant à la signification du crachat dans ce bagne, dans ce récit. Je ne crois pas qu'ici le crachat soit autre chose qu'un moyen de se prolonger – ou si l'on veut de prendre possession d'un espace en y déposant une de ses sécrétions. La trajectoire du crachat serait le rayon qui délimite un domaine. C'est une façon de planter son drapeau.

LE BAGNE

couilles. Quand le crachat est entré par sa lucarne,
Forlano s'est approché lentement, avec indifférence. Il se
baisse, négligemment le ramasse. On dirait qu'il sait déjà
de quoi il retourne. Les doigts de Forlano* : le crachat
est une boulette de papier humide qu'il déplie avec pré-
caution. Il s'approche d'un peu de lumière et lit).

(Le papier – où l'on voit des traces de dents – est
enveloppé de salive. Voici ce qui est écrit) :

(« Reconnais que c'est toi ou on va te descendre). »

(A peine a-t-il déplié le papier, et lu le bref message,
qu'il entend, fracassant, un bruit d'une clé dans la serrure.
Forlano hausse les épaules. Brutalement la porte s'ouvre
et le surveillant, faisant une irruption comique s'écrie) :

LE SURVEILLANT – Donnez.

(Plan du surveillant, pieds nus, et traces de pas
mouillés, dans l'encadrement de la porte).

(Gros plan de Forlano qui a porté la boulette de papier
à sa bouche, fait, exprès très visible, un mouvement de
déglutition. Le surveillant s'approche et met son doigt
dans la bouche de Forlano).

LE SURVEILLANT – Crache, saloperie, crache !

(Forlano avale encore. Le gardien retire son doigt).

FORLANO – Vous fouillerez ma merde, ça vous oc-
cupera.

(Rageur, le gardien retourne vers la sortie en tirant la
porte derrière soi).

------

* Prenons le temps de dire que les doigts, le cou, le visage de
Forlano sont devenus crasseux, car il ne quitte plus sa cellule,
même pour se laver. Il pue.

(Forlano a son habituel sourire, ironique et cruel).

LE GARDIEN – Ça va, j'ai compris.

FORLANO – Oui ?

(Bruit de pas mouillés et de la porte fermée).

(Le prétoire. Dans le fond, encadrant la porte d'entrée, quatre soldats noirs, en armes. Derrière la table, le Directeur. A droite, le sous-directeur, à gauche, le surveillant chef. Aux deux extrémités, un surveillant. A une petite table, le greffier. Debout, face au Directeur, Forlano. On sent à certains détails, à une certaine lenteur des gestes, au choix des mots, à la longueur des phrases, qu'une certaine solennité préside).

(Forlano parle, d'une voix lente, détachée. Il fait claquer ses doigts, en un geste automatique).

FORLANO – ... tout ce que j'ai laissé là-bas ? Vous me croyez assez con pour...

LE SOUS-DIRECTEUR – Vous êtes en face de Monsieur de Directeur, utilisez d'autres mots.

LE DIRECTEUR – Non. Laissez-lui parler son langage.

FORLANO – ... assez con pour m'empêtrer dans ce qui me gênait là-bas ? Avoir fait un si grand voyage pour rechercher si je suis plus coupable, ou moins coupable ! La traversée a fait de moi le coupable, une fois pour toutes. Ça vous embête parce que vous avez du temps devant vous et la Patrie dans le dos, moi, je suis ni pressé ni patient : j'ai fini. Vous ne vous êtes jamais embarqué dans une histoire définitive, vous avez peut-être eu raison – vous êtes vides. Vous vous regardez vivre, ça vous peuple. Et moi, vos conneries m'emmerdent.

(*Forlano dira toute cette tirade très doucement, sans amertume. Il sait que, déjà est commencée cette promenade qui, inéluctablement doit le conduire à la guillotine. Sinon ce serait le couteau – plus terrible parce qu'inattendu secret – des punis. Plutôt qu'une sorte de tranchet de cordonnier aiguisé à la forge, plutôt que cette mort à la sauvette, il préfère le couperet parfait de forme et de poids, et la mort dans une apothéose. Il est donc mort. Il a digéré sa mort. Son langage indique moins une insolence qu'une sûreté définitive*).

LE DIRECTEUR – En bonne justice...

FORLANO – Je suis au bagne à perpète. Si quelqu'un doit me juger c'est les gars qui sont en rapport avec moi, les autres forçats, mais pas vous. Vous, tout ce que vous pouvez me faire c'est m'abattre.

LE DIRECTEUR – Vous avez commis un crime sur un homme avec qui j'avais des liens...

FORLANO – Moi, j'avais pas de lien avec lui. J'ai planté mon aiguille dans un arbre.

LE DIRECTEUR – Vous avouez !

FORLANO – Si ça vous amuse de jouer encore aux Assises de poupée...

LE DIRECTEUR – Je joue mon rôle.

FORLANO – Moi pas. Vous, vous êtes un acteur.

JEAN GENET   192

LE DIRECTEUR – Mon rôle consiste à vous dire – ou, si vous refusez votre présence – à dire ceci : nous avons relevé les charges qui pèsent contre celui que nous nommons Forlano. Aucun innocent ne sera condamné, mais lui. Ce ne peut être que lui qui a assassiné le surveillant Monsieur Marchetti. Je préside un tribunal en Cour martiale d'exception qui décidera : ce sera la mort. Le jugement étant sans appel, demain vous aurez la tête tranchée. L'exécuteur vous le savez, c'est Ferrand. Qu'avez-vous à répondre ?

(Forlano se tourne légèrement, crispe son visage, et pète).

FORLANO – Qu'à la soupe y avait des fayots.

LE DIRECTEUR – *(souriant)* Emmenez-le. Et mettez-le aux fers.

(Les deux surveillants emmènent Forlano. Le Directeur se lève. Les quatre soldats noirs présentent les armes en claquant des talons. Différents plans de surveillants emmenant Forlano en silence).

(La cellule de Rocky. Rocky est debout, complètement nu. Immobile. Puis il marche. Il se parle à lui-même).

ROCKY – Pas même pouvoir mettre mes mains dans mes poches ! Les vaches !

(Il s'adresse à la porte derrière laquelle l'œilleton a bougé, et par où le spectateur, mais non Rocky, voit l'œil, sans doute d'un surveillant).

ROCKY – « Tu veux mon portrait », qu'il m'a dit ? Sale petit con. Qu'est-ce qu'il a, son portrait ? Un nase,... une bouche,... des mirettes...

(Rocky fait quelques pas vers le fond de la cellule).

ROCKY – Perez, lui il sait dessiner. Moi je sais écrire. Et compter : un, deux, un, deux, un, deux...

(Rocky s'arrête près du mur, sous la lucarne, où se trouvent gravés, avec précision quelques graffitis en creux dans le mur : une petite tête de femme – de profil – deux phallus, cinq ou six inscriptions, des dates. Rocky regarde tout cela, fasciné. Dans l'œilleton de la porte, le regard est toujours là, épiant. Gros plan de l'ongle de Rocky rayant le plâtre cependant que le bagnard parle) :

ROCKY – Son portrait ? Un nez... un menton... un nez moyen, un front bas, des yeux verts, un menton rond, une bouche rose, des cheveux ras...

(Dans le couloir, le gardien, pieds nus, mouillés, retient son souffle, l'oreille collée à la porte. Il fume, mais il est attentif. Puis il sort très doucement de sa poche, une sorte de monocle qu'il applique sur l'œil avant que de poser celui-ci contre l'ouverture du judas*).

(Gros plan du portrait écrit, gravé dans le mur. La main de Rocky le caresse tout doucement, comme on

---

* En fait ce gardien, accompagné, lui aussi par des géants noirs, n'avait rien à craindre. On ne réédite pas un pareil crime. Ensuite, l'aiguille était dans l'œil de Marchetti. Et puis, lui, il n'a rien à craindre des bagnards : il n'est pas des leurs.

*caresse un chat, jamais à rebrousse-poil, si une fois
pourtant, comme s'il voulait en lisser la soie. Il se
retourne, vif. On entendra un bruit de clé. C'est le gardien
qui entre dans la cellule. Rocky reste le dos collé au
portrait. Ses yeux sont humides).*

ROCKY – Son portrait ! Qu'est-ce qu'il a de formi-
dable, son portrait ?

*(Il semble ne pas s'apercevoir de la présence du sur-
veillant qui se tient devant lui amicalement, presque
timidement. On entend le bruit cadencé des sabots dans
la cour).*

LE SURVEILLANT – *(très doux)* Tu ne veux pas sortir ?
Tu as tort, mon gars, de te laisser aller.

ROCKY – *(hurlant)* Fermez la lourde et lâchez-moi,
vous entendez ! J'en ai marre, de vos sales gueules !

*(Les deux hommes sont face à face. Rocky s'avance,
menaçant).*

LE SURVEILLANT – Ça sert à quoi de se mettre les
sangs dans un état pareil ?

ROCKY – Foutez le camp !

*(Le surveillant hausse les épaules, et, les pieds nus et
mouillés sort. Il ferme la porte. Il ouvre l'œilleton, y pose
son œil après l'avoir protégé du monocle, et dit)* :

LE SURVEILLANT – Oublie-ça, va Rocky.

*(C'est demain qu'on le coupe en deux. Rocky se dirige
vers le portrait, il le regarde quelques secondes, et crache
dessus).*
(Puis il s'écroule à terre).

LE BAGNE

(Cour du mitard. Les punis tournent toujours. Et toujours au soleil et dans la poussière. Ferrand est appuyé à la tinette, romantiquement, comme à la margelle d'un puits. Il y regarde les étrons fumeux, et de temps à autre il crache dedans. Son visage n'exprime aucun dégoût. Il est seulement profondément triste. De temps à autre, et sans lever la tête, il commande).

FERRAND – Un, deux ! Un, deux ! Marquez la cadence.

(Le surveillant est retiré dans sa bassine d'eau fraîche. Par jeu, il s'applique le monocle à l'arcade sourcilière et regarde la ronde des punis. Un des bagnards vient de sortir de la ronde et grimpe sur la tinette pour y chier).

(Rassemblement du soir, dans la cour du bagne. Après le travail, chaque atelier rentre, au pas, en ordre, quitte sa formation par atelier pour prendre la formation de dortoirs – qui est l'unité administrative à laquelle appartiennent les forçats. Il y a donc, au crépuscule, un apparent désordre, mais bref, dans la cour centrale. Des soldats noirs veillent. A peine les forçats se sont-ils regroupés par dortoir, que le clairon sonne le garde-à-vous).

(Chaque prévôt de dortoir donne l'ordre : « Garde à vous ! » Les bagnards rectifient la position. Les nègres sont aussi immobiles que des blocs de basalte. La lumière décline avec une rapidité dangereuse... c'est presque la nuit. C'est déjà la nuit. Le Directeur, suivi du sous-directeur, du greffier et du surveillant-chef, s'approche. Les noirs présentent les armes. Le surveillant-chef s'avance légèrement et, dans une obscurité presque totale,

sous un ciel où brillent des constellations que les ba-
gnards refusent de connaître, il parle) :

LE SURVEILLANT-CHEF – Fagots ! La Cour martiale
d'exception, présidée par Monsieur le Directeur, a
condamné à mort le fagot Forlano Santé, matricule
900.873, coupable d'avoir assassiné le surveillant Monsieur Marchetti. Après-demain matin jeudi, Forlano
paiera sa dette sur la place publique. Fagots, à vos
dortoirs.

(La lumière éclate en plusieurs points de la cour. Le
groupe formé par le Directeur et sa suite se retire. Len-
tement, en silence, et sans que rien de leur sentiment ne
se lève sur leurs gueules, les forçats rentrent au réfectoire.
La soupe mangée – en silence, c'est-à-dire sans même
qu'on entende le bruit d'une cuiller contre la gamelle de
fer ni le lappement du bouillon – ils monteront aux
dortoirs).

(Les nègres. C'est le soir. Dans leur cour éclairée, devant
la caserne, ils jouent aux barres. Ils continuent leurs jeux
tard dans la nuit dont la fraîcheur les repose. L'un deux,
quelquefois, quitte son camp pour accompagner dans sa
ronde un gardien).

(Le Directeur est dans son salon, avec l'Aumônier. C'est
une sorte de boudoir très raffiné, avec des rideaux de
satin, des tapis épais et des meubles luisants. Aux murs,
dans de très beaux cadres, des photographies de criminels.
Chaque cadre est endeuillé d'un crêpe. Le Directeur peut

*faire penser, cela m'amuse, à l'Antinéa du célèbre roman.
L'Aumônier n'est pas à son aise dans cet endroit. Les
deux hommes, assis dans des fauteuils, boivent du café.
Il y a quelques minutes, ils dînaient dans la salle à
manger, servis par ce bagnard-maître d'hôtel. Le Directeur
paraît excédé. Il sait qu'il a gagné et à la fois perdu. Il
a, aux épaules, un bref frisson. L'Aumônier est calme)* !

LE DIRECTEUR – Vous l'avez donc vu ?

L'AUMÔNIER – Il n'a pas voulu me recevoir.

LE DIRECTEUR – Pas voulu ? Vous êtes entré dans sa
cellule ?

L'AUMÔNIER – Il en était absent.

LE DIRECTEUR – Absent ?

L'AUMÔNIER – Son sourire ironique l'absentait.
J'avais en face de moi une forme très légère de brouillard devant quoi je devenais de plomb.

LE DIRECTEUR – Donc ? Les consolations de l'Eglise,
les prières, l'espoir, le recours en Dieu ?

*(Le Directeur a enlevé ses bagues, sa montre, son
briquet d'or, et les pose sur la table basse).*

L'AUMÔNIER – Inutiles. Ni remords, ni contentement
de soi. L'absence

LE DIRECTEUR – Vous voyez, je m'allège.

L'AUMÔNIER – Pourquoi ce décor ?

LE DIRECTEUR – Et vos cantiques, et vos chants ?
Pour irréaliser le bagne. Afin qu'il ne soit plus que le

prétexte à un jeu... comment dire, poétique. Sinon, je ne tiendrais pas le coup. J'en donne, comme je peux, une expression. Je joue. Si je ne jouais pas, où aboutirais-je, puisque le bagne est sans issue. Voyez, je n'ai ni vous non plus ni personne, pas un sou de monnaie dans les poches. Forlano nous le tuerons demain. Non à l'aube mais au soleil.

L'AUMÔNIER – Comment savez-vous qu'il est coupable. Il n'a pas avoué.

LE DIRECTEUR – Je sais surtout que je ne me trompe pas. Les autres ont avoué, sauf lui. Enfin il y a Roger.

L'AUMÔNIER – Vous pensez que Roger sait reconnaître un innocent d'un coupable ?

(Le bagnard est entré, très doucement. Comme une ombre, il sert le café mais écoute).

LE DIRECTEUR – Il ne s'agit pas de cela. Il sait espionner. C'est par lui que nous savons que l'aiguille appartenait à Santé.

L'AUMÔNIER – Santé !

LE DIRECTEUR – Santé Forlano.

(Dans une cour que nous ne connaissions pas, Forlano, surveillé par un gardien, se promène seul, lentement. Ses pieds sont enchaînés. Ses mains aussi, liées dans son dos. On entend le bruit, très délicat, des chaînes. Sa démarche est comme ankylosée. Un ruisseau de pisse coule du bas de son pantalon sur ses sabots, puis en rigole par terre. Le gardien s'approche. Forlano doit parler

*avec beaucoup de douceur, avec une sorte de fatigue,
comme si les mots étaient devenus inutiles. Le ciel est
bleu).*

LE SURVEILLANT – Tout à l'heure tu voulais aller aux cabinets ?

FORLANO – *(doucement)* C'est fait. Vous laverez mon froc demain.

LE SURVEILLANT – T'as chié ?

FORLANO – Oui.

*(Le surveillant hausse les épaules. Il s'approche de
Forlano et sort de sa poche une cigarette. Il va la tendre
quand un hoquet de dégoût le fait se reculer. Il a une
nausée mais ne vomit pas. Forlano le regarde sans dire
un mot, à peine intéressé. Très lointain. Enfin le gardien,
délicatement, sans en mouiller le papier, porte la cigarette
à sa propre bouche – il s'était d'abord touché les lèvres
d'un revers de main –, l'allume et en tire une bouffée
qu'il avale. L'odeur de Forlano, dont le froc est plein de
merde, l'écœure. Il s'approche pourtant de lui. La bouche
de Forlano s'ouvre et s'avance comme pour un baiser.
On en remarquera les lèvres épaisses, charnues, et re-
tournées. Le bras du gardien s'allonge, et il lui met la
cigarette dans la bouche. Forlano tire une bouffée et la
rejette par le nez. Le gardien recule. On entend, très loin,
la voix de Ferrand : Un, deux ! Un, deux ! Un, deux !...
et une cadence marquée par la marche des punis. Forlano
est visiblement gêné par la fumée de la cigarette qui
monte à ses yeux. Il crache la cigarette, mais le gardien
la ramasse, souffle dessus pour en enlever la poussière
et la lui met à la bouche. Forlano tire une bouffée, et la*

rejette. Le gardien lui enlève la cigarette, Forlano respire. Le gardien la lui remet à la bouche : Forlano tire, et ainsi de suite).

(Le visage de Forlano se crispe : des larmes coulent de ses yeux. Le ciel est bleu, le soleil ardent. Quelque part cependant il neige).

FORLANO – Demain matin je monte au ciel.

(C'est la veillée funèbre chez les Noirs. Cette histoire de Blancs les intéresse à peine. Ils ne comprennent pas le sens religieux de l'exécution de Forlano, puisqu'ils sont exclus de la communion des fidèles. C'est sans doute une préoccupation esthétique qui m'a fait choisir de donner au bagne un cadre noir. La rigidité des Nègres, leur refus de participer à l'action, leur origine et leur couleur qui les éloignent encore, sont en effet destinés à donner davantage de relief au drame misérable des Blancs. Mais un élément esthétique n'est pas gratuit. Les Nègres, par leur animalité, par leur bestialité même doivent apporter un relief, une épaisseur à une aventure d'où toute sensualité est absente. Les Nègres, sont la Femme absente de ce bagne. La veille de l'exécution de Santé Forlano ils sont réunis autour d'un feu, à proximité du corps de garde. Ils ont fait rôtir un mouton. Pendant qu'il cuit, ils dansent et chantent : il y aura eu deux morts en peu de temps parmi les Blancs. Ils célèbrent ces deux morts avec la même joie, la même fête. Tout à l'heure ils vont manger le mouton comme s'ils dévoraient la chair de Marchetti et celle de Santé Forlano. L'un d'eux montre à tous les autres un signe dans le ciel : c'est une étoile).

LE BAGNE

(Cellule de Rocky. La veille de l'exécution. Rocky a refusé de reprendre sa place dans la ronde des punis. Il reste, complètement nu, accroupi dans un coin de sa cellule. De temps à autre il ramasse un peu de tabac que Ferrand lui lance par la lucarne. Il le chique. C'est la nuit. On entend au loin le chant des nègres en fête. Rocroquevillé dans un coin de sa cellule, Rocky chique, crache, tousse et crache encore, contre le mur).

(L'œilleton de sa porte se soulève. Protégé maintenant par le monocle, un œil s'y montre et regarde).
(Rocky le fixe, indifférent. Il est à peine étonné par l'étrangeté de cette amertume qui n'encadre plus le regard bleu et méchant – chaud cependant – de Marchetti. Il chique. L'œilleton se referme. On devine le gardien qui s'éloigne à pas de loup).
(Rocky redresse un peu la tête, et, les yeux vides, dans l'obscurité, il se récite d'un ton neutre d'abord, le portrait de Forlano :
Front bas,
nez moyen,
yeux verts,
menton rond,
bouche rose,
yeux verts...
puis, peu à peu il s'attendrit sur lui-même et sur la beauté de son poème, sur l'éloquence de son portrait. Il le recommence, mais avec, sur chaque mot, une inflexion caline, tendre, affectueuse. Aucune larme – qui cependant s'apprêtait – ne coule de ses yeux. Le poème le sauve de l'apitoiement sur soi. Il est calme. Il va dormir).

JEAN GENET   202

(Veillée funèbre dans les dortoirs. Nous voici dans le couloir où se trouvent, d'un seul côté, les cellules des bagnards. Dans chaque cellule, un lit. Nous passerons devant chaque cellule. Chaque fois qu'un forçat viendra à la grille de sa cellule (on sait que tout un côté de la cellule est fermé par une grille fixe, dans laquelle une porte est ménagée) nous tâcherons de l'observer avec son caractère, aussi exactement marqué que possible sur son visage et dans ses gestes).

(PREMIÈRE CELLULE – Le bagnard est debout, collé contre la grille. Nu mais en caleçon long. Il fume et regarde droit devant lui, dans la nuit du corridor*).

LE BAGNARD – Finalement, qu'est-ce qu'on sait de ses crimes, avant celui-là ?

(DEUXIÈME CELLULE – Le bagnard est debout, accoudé à la grille, le visage dirigé vers le premier. Il gratte les poils de sa poitrine).

LE BAGNARD – Et même celui-là n'est pas sûr.

(TROISIÈME CELLULE – Le bagnard est accroupi et suce une médaille pendue à une chaînette).

LE BAGNARD – C'est demain matin qu'on le coupe en deux. Les nègres espèrent le rôtir et le bouffer. Leur tam-tam sent la joie et la graisse...

---

* Ce dortoir a été décrit plus haut : une salle tout en longueur aménagée de telle sorte que tout le côté opposé aux fenêtres est divisé en boxes comprenant un lit, séparés, entre eux, par une cloison, et du couloir par une porte faite de barreaux verticaux.

LE BAGNE

(QUATRIÈME CELLULE – Le bagnard est accroupi. Il cherche dans sa narine, en retire un détritus, le regarde et le mange. Il ne dit rien).

(CINQUIÈME CELLULE – Le bagnard est à quatre pattes. Il regarde le plancher. Une voix dit : Qu'est-ce que t'en dis) ?

LE BAGNARD – J'ai trop de boulot à écrire mon nom pour m'occuper de Santé. J'en suis au B.

(SIXIÈME CELLULE – Le bagnard est debout. Il fume).

LE BAGNARD – Savoir comment il va prendre ça ?

UNE VOIX – Tu voudrais bien être à sa place ?

LE BAGNARD – Peut-être.

LA VOIX – Avoue.

LE BAGNARD – J'avoue.

(SEPTIÈME CELLULE – Le bagnard danse sur lui-même une sorte de valse lente, tout en caressant ses bras – croisés sur sa poitrine – et ses épaules. Sur l'une il penche la tête. A côté on entend siffler une valse).

(HUITIÈME CELLULE – Le bagnard est accroupi sur son lit. Il passe sa main sur ses lèvres comme s'il s'agissait d'une flûte de Pan dont les roseaux seraient ses doigts. Il siffle cette valse lente sur quoi danse l'autre forçat).

(NEUVIÈME CELLULE – Le bagnard est accroupi sur son lit. Avec un tranchet, il se gratte la cuisse jusqu'au sang).

UNE VOIX – *(très fort)* Tu t'en occupes, Vlado, de Santé ?

LE BAGNARD – Je m'occupe de moi. Je me démolis lentement mais sûrement. Dans quinze jours je serai à l'hosto et dans trois mois au Paradis. *(On entend un grand rire)*.

(DIXIÈME CELLULE – Le bagnard est collé à la grille mais il semble endormi. Sa tête retombe sans cesse. Il ouvre les yeux et les referme, la bouche molle, il dit) :

LE BAGNARD – Comment il est ce Forlano.

UNE VOIX – Personne ne l'a vu.

LE BAGNARD – Il est beau, au moins ?

UNE AUTRE VOIX – Il ressemble à Stocklay.

UN GROUPE DE VOIX – Tu charries. Pas possible. Stocklay c'est le plus beau qu'il y ait eu.

(ONZIÈME CELLULE – Le bagnard cherche parmi les poils de sa poitrine et en retire un morpion, qu'il faudra tâcher de grossir et montrer en gros plan).

LE BAGNARD – J'en ai un.

UNE VOIX TRÈS PROCHE – Tu me le passes.

LE BAGNARD – Oui. Et toi, t'en as ?

LA VOIX – Oui, je vais t'en donner un.

(DOUZIÈME CELLULE – Le bagnard cherche sous ses bras. Il en retire un morpion. Les deux bagnards sont

très jeunes et assez beaux. A l'aide d'une paille coudée, ils vont échanger les morpions et les placer dans leurs toisons : l'un sous le bras, l'autre dans les boucles de son torse. Le visage de ce douzième forçat est anxieux et fervent).

LE BAGNARD – Fais-le pondre. Tu me donneras des petits.

(Pour un moment s'interrompt ce travelling qui reprendra plus tard. Aucun acteur professionnel ne devrait jouer dans ce film, il faudra faire appel à des hommes appartenant à différents métiers, à différentes classes sociales. A peine devront-ils jouer. Durant ce travelling, la caméra laissera dans l'ombre une partie de la cellule pour ne conserver que l'essentiel de la scène : visages, mains, etc).

(Chez les Nègres, autour des feux. Un nègre s'est dévêtu. Il n'a gardé que son pantalon. Il s'est fait une coiffure avec une bande de mitrailleuse. Il danse. Autour de lui, ses camarades chantent et battent des mains).

(Au dortoir. Nous reprenons le travelling abandonné tout à l'heure).

(TREIZIÈME CELLULE – Le bagnard est à genoux devant son lit. Il prie. Il égrène un chapelet).

JEAN GENET   206

LE BAGNARD – *(murmurant)* Faites, Seigneur qu'il meure avec courage...*

(QUATORZIÈME CELLULE – Le bagnard est debout. Il a les cheveux longs, tombant jusqu'à ses épaules. Il les retire : c'était une perruque faite de brins de laine qu'il arrange. Son visage est très dur. Ses gestes très virils. Sa voix grave et virile. Qu'on remarque la précision de ce travail et la matière de la laine. Quelques brins de cette laine sont nattés avec beaucoup de talent. On comprendra qu'il a fallu une longue patience pour réaliser ce travail destiné à donner sa signification à toute une vie).

LE BAGNARD – Les gars, moi je vais vous en parler, de Forlano : c'est une lavette. C'est une gonzesse. S'il a buté un gâfe c'est qu'il avait pas la force de lutter avec nous et d'en descendre un. Le Forlano, y vient de se suicider.

(Le quatorzième forçat dit sa tirade, se coiffe de ses cheveux, comme un juge anglais de sa perruque, les lisse un moment, a un geste de coquetterie pour les rejeter en arrière, sur ses épaules, puis il les retire et les cache dans sa paillasse).

---

* Il va de soi que tout ce que font et tout ce que disent les bagnards durant cette nuit – à peu de choses près semblables aux autres nuits – est dit et fait dans un ton de dérision extrême. Il ne s'agit pas seulement d'ironie : rien n'y a le sens habituel. Même cette prière est une fausse prière, puisqu'elle ne s'adresse pas à un dieu qui a sauvé l'Humanité. Le bruit du chapelet n'est pas le Christ qui peut sauver le bagnard puisque le bagnard se veut hors de l'Humanité.

LE BAGNE

(QUINZIÈME CELLULE – Le forçat est un nègre).

(SEIZIÈME CELLULE – Le bagnard est à genoux devant son lit sur lequel sont étalées des cartes à jouer. Mais il ne joue pas. Il en dessine une. Etalées sous notre nez les cartes représentent les bagnards, les nègres, le Directeur. Les bagnards sont les Dames, les nègres, les Rois. Les valets sont représentés par : le Directeur, le Sous-directeur, le Surveillant-chef, l'Aumônier).

LE BAGNARD – *(hurlant)* Les gars, je le fais entrer dans le jeu !

(Hurlement de plusieurs voix).

(DIX-SEPTIÈME CELLULE – Le bagnard est debout contre la grille. Il bâille, il s'ennuie).

LE BAGNARD – Ça dépend où tu le places ?

LE PRÉCÉDENT – La dame de carreau.

UNE VOIX – T'es cinglé. La dame de carreau c'était Colonna.

LE PRÉCÉDENT – C'est fini, Colonna. Personne ne l'a connu. C'est du passé.

UNE AUTRE VOIX – Et quelle tête tu lui fais, à Forlano, tu l'as jamais vu.

LE PRÉCÉDENT – Je le verrai demain.

(Les nègres. Durant cette nuit, les nègres dansent toujours. L'un d'eux fait une sorte de numéro de strep-tease. A mesure qu'il jette un vêtement, on l'acclame. Enfin il

a un geste de pudeur pour retirer sa chemise sur sa poitrine, mais un soldat s'avance, l'ouvre malgré une feinte défense, et en retire une poupée représentant un bagnard sans tête. Toute la chambrée hurle de joie. La nuit est très douce. Quand les nègres se taisent, on entend des grillons).

(Nous reprenons le travelling le long des cellules du dortoir. J'aimerais que ces vues prissent une intensité obsédante. Tout se passe dans le silence le plus grand, sauf quand nous arrivons au forçat visé où seront enregistrés les seuls bruits significatifs. L'intonation doit être sévèrement observée. Les accents notés. Toutes les particularités de la voix, les moindres intonations, les difficultés de prononciation. Quand la scène est muette, dans le silence on entendra le bruit d'un grillon, et, quelquefois on entend encore quelques coups de marteau).

(DIX-HUITIÈME CELLULE – Le forçat est debout, à la porte de la cellule. Il ne fait rien).

LE FORÇAT – N'oublie pas que le jeu de cartes raconte notre histoire.

(DIX-NEUVIÈME CELLULE – Le forçat est debout derrière la porte de la cellule. Il fume et il écoute).

VOIX DU PRÉCÉDENT – ... et notre légende. Il faut l'accord général pour mettre du nouveau dans les cartes. Tu n'es pas sûr qu'on doive le mettre avec les reines. C'est peut-être un roi. Peut-être un valet. Peut-être un nombre.

(VINGTIÈME CELLULE – Le forçat c'est Roger. Il est couché dans son lit. Il dort).

LE PRÉCÉDENT, CONTINUANT DE PARLER – ... L'année dernière c'est les nègres qui étaient les femmes, cette année les bagnards, mais rien ne dit que ça va durer longtemps. Moi, mon avis, c'est que Forlano n'a pas encore fait ses preuves.

(VINGT-ET-UNIÈME CELLULE – Le forçat est debout contre la porte de sa cellule. Il écoute. Très attentivement, les yeux fixes).

UNE VOIX – Qu'est-ce qu'il pourrait donner, le malheureux. Il était mort avant que de naître.

VOIX DU PRÉCÉDENT – Alors raison de plus. De toutes façons on peut attendre pour voir ce qui va se passer demain. En vingt ans, je les ai vu changer, les cartes ! Dans un mois, ou deux, il peut se produire quelque chose de sérieux dont Forlano sera responsable...

(VINGT-DEUXIÈME CELLULE – Le forçat est debout dans la même position).

VOIX DU PRÉCÉDENT – ... Alors on verra s'il a droit à une carte. Et à quelle figure. Tout ce qu'on peut faire c'est de le mettre sur la liste des entrants possibles. Colonna, Milladritch, Lecouvreur, de Pélissy du Bois, Gouvert sont en place pour un moment...

(VINGT-TROISIÈME CELLULE – Le forçat est debout dans la même position).

VOIX DU PRÉCÉDENT – ... Il n'y a pas de raison de les changer. Si on veut remonter jusqu'à l'année de l'évasion de Novak, on ne trouve...

(La voix se perd).

(Le couloir du mitard. C'est encore la nuit et Forlano doit être exécuté tout à l'heure. Dans le couloir, le surveillant se promène en silence).

(Il s'approche d'une porte, soulève l'œilleton et épie. Il écoute les coups d'un marteau clouant quelque chose. Intérieur de la cellule de Forlano. Dans un coin, nu, fers aux pieds et aux mains, Forlano est debout. Il est très fatigué. On entend le chant du coq imité par un bagnard. Puis, tout de suite après la sonnerie du réveil par le clairon de service, et c'est déjà l'aurore. Le surveillant baisse l'œilleton et commence à ouvrir les portes du mitard).

(Sous la lune, Ferrand, aidé de deux hommes, monte la guillotine. Ils sont gardés par quatre Noirs qui forment un carré dont ils sont les angles. Leur fusil est braqué en direction des trois forçats. Le ciel est très pur. Le soleil va apparaître. Même ce matin, la candeur matinale rend angélique cet endroit. Il fait bon. La journée sera belle et noble, offerte par Dieu).

(Nous passons ensuite sur le mur de ronde où veillent des soldats Noirs. Ils surveillent le désert et le bagne. Vue sur le désert : il est infini, cependant que le soleil apparaît à l'horizon).

LE BAGNE

(Nous sommes maintenant dans la cour du bagne. Au centre, l'échafaud, auquel s'adosse Ferrand. Le soleil est déjà chaud. Les forçats sont immobiles, par formation d'ateliers, autour de la guillotine. Un groupe, formé par le Directeur, le sous-directeur, le greffier, le surveillant-chef, l'aumônier et des gardes, se dirige vers le mitard. Ferrand les suit à trois mètres. Avec eux, nous entrons au mitard. Nous ouvrons la porte de Santé Forlano. Dans la cellule pénètrent les deux gardiens et Ferrand. Sans un mot les gardiens s'approchent de Forlano et le délivrent de ses fers).

(Les mains et les chevilles de Forlano étaient étroitement serrées par les chaînes. Elles en gardent la trace : quelqu'un se vengeait donc).

(Ferrand a ramassé à la porte le pantalon et la blouse de Forlano. Sans un mot, il s'approche du condamné à mort et l'aide à se vêtir. Ils s'efforcent de faire que jamais leurs regards ne se rencontrent).

(Les répliques s'échangent à voix très, très basses, et presque sans remuer les lèvres, comme on dit, dans un souffle).

FORLANO – Qu'est-ce que tu fais ?

FERRAND – *(très doucement)* Je t'habille.

FORLANO – Tu vas me couper la tête ?

FERRAND – Oui.

FORLANO – Maintenant ?

FERRAND – Tout à l'heure.

(Le groupe officiel attend à la porte de la cellule. L'aumônier entre à son tour et s'approche de Forlano.

Mais celui-ci l'écarte très légèrement du doigt. Il montre Ferrand).

FORLANO – Je viens de dire tout ce qu'il y avait à dire.

L'AUMÔNIER – Dieu...

FORLANO – *(sec)* Mes couilles !

(L'aumônier se retire. Mais déjà les deux gardiens ont lié derrière son dos les mains de Forlano, puis, se baissant, ils lui entravent les chevilles. Ferrand regarde l'opération sans rien dire).

LE DIRECTEUR – En route.

(Les gardiens poussent Forlano, mais ses liens sont trop serrés. Il trébuche. Les deux surveillants veulent le saisir sous les aisselles, mais Ferrand intervient. Il prend Forlano dans ses bras et le porte. On entend soudain un cri : « Santé ! » C'est Rocky qui hurle).

(Intérieur de la cellule de Rocky. Il cogne contre le mur de sa cellule en hurlant : « Santé ! Santé ! ». Mais il est très important qu'on ne l'entende que lorsqu'on le voit. Il est collé de tout son corps contre la porte. Son poing frappe comme un battant, le coude étant lui-même contre la porte. Son désespoir va aller jusqu'au paroxysme. Quand Rocky, épuisé, cessera de hurler, et de battre la porte, il aura une quinte de toux et il crachera des caillots de sang).

(Couloir du mitard. Précédé de quatre ou cinq mètres par le Surveillant-chef, Ferrand porte dans ses bras For-

LE BAGNE

*lano, comme une mère son bébé ou, comme on voit dans
les dessins le marié porter la jeune épousée. Suivent les
deux gardiens, le Directeur, le Sous-directeur, l'Aumônier
et le Greffier. Puis le Surveillant-chef arrive à la porte. Il
s'arrête sur le seuil. Le cortège s'arrête aussi. Santé Forlano est toujours dans les bras de Ferrand. Le surveillant-
chef, dans un silence total, s'adresse aux forçats)* :

LE SURVEILLANT-CHEF – Fagots ! A genoux !

*(Le couperet étincelle. Tous les forçats qui étaient au
garde-à-vous autour de la guillotine, s'agenouillent en
silence. Le soleil est terrible. Chaque bagnard voudrait
voir).*

LE SURVEILLANT-CHEF – Fagots ! Vos bonnets !

*(Les forçats soulèvent leur grand chapeau de paille, et
le tiennent d'une main au-dessus de leur tête, comme
une ombrelle).*

*(Les surveillants sont debout casqués. Les Nègres aussi,
qui entourent l'échafaud, mais dont le fusil est braqué
sur la foule des bagnards. Enfin le surveillant-chef
s'écarte, libérant le passage. Paraît alors Ferrand portant
Forlano. Deux aides – deux bagnards qui étaient près de
l'échafaud, se précipitent. Ferrand parcourt environ trente
mètres qui le séparent de la guillotine. Etant donné la
position de Forlano dans les bras de Ferrand, il lui
murmure quelques mots à l'oreille, d'une voix douce)* !

FORLANO – Merci, Ferrand. Je te revaudrai ça.

*(Un peu plus, Ferrand allait défaillir. Il se ressaisit.
Cet instant est irréel).*

*(La guillotine étant placée directement sur le sol, déli-
catement Ferrand aidé malgré lui par les deux bagnards*

dépose Forlano sur la planche qui bascule. Il a le temps d'appuyer sur le bouton. Un éclair vertical. Pas un forçat n'a détourné les yeux. Les Nègres sont graves. Le cortège : Directeur, Aumônier, etc., sont restés sur le seuil un peu surélevé, du mitard. Tout le monde – sauf l'aumônier qui prie – regarde, fasciné, le forçat recueillant la tête de Forlano par les oreilles. Il la passe à Ferrand qui la regarde fixement avant de l'envelopper dans un linge blanc vite écarlate).

(Le deuxième aide porte le corps décapité et le pose dans un cercueil ayant la longueur du corps sans la tête. Le sang coule, rouge sur le sable blanc de la cour. Les mouches sont là, noires et compactes).

(Ce film, n'étant pas un spectacle monté au grand siècle, il est important de réaliser de chaque fait une photographie très exacte. C'est cette exactitude qui, à l'aide de la déformation produite par le grossissement, détruira le réalisme. Donc, photographier les flots de sang, photographier l'épaisseur, le poids et la couleur du sang. Photographier, en très gros plan, les doigts de l'aide portant la tête par les oreilles, couvertes de sang).

(Ferrand, tenant la tête, la place dans le cercueil, entre les jambes et Forlano. Un aide pose le couvercle et le cloue).

LE SURVEILLANT-CHEF – Fagots, au travail.

(Les forçats se couvrent, se relèvent et déjà amorcent un mouvement de départ. Ils vont regagner leurs ateliers, et pervertir le plus clair et le plus simple travail).

(Le groupe formé par le Directeur, l'Aumônier, le sous-directeur, reste là, comme figé. Ils sont à l'ombre, et la fraîcheur du couloir les délasse. Ils épiloguent).

L'AUMÔNIER – Que peut signifier pour Dieu une pareille mort, une pareille vie aussi ?

LE DIRECTEUR – « Heureux ceux qui meurent jeunes ».

L'AUMÔNIER – Et s'il était maintenant à la droite du Père ?

LE SOUS-DIRECTEUR – Dans ce cas, où irions-nous, nous ?

L'AUMÔNIER – Nous pourrions prier ?

LE DIRECTEUR – Monsieur l'Aumônier, l'âme de Forlano se débrouillera très bien toute seule.

(Dans la cour, les deux aides clouent toujours le couvercle du cercueil. A côté, sans aide, Ferrand démonte le couperet. C'est le sang de Forlano qui tache l'acier, la blouse et le pantalon du bagnard. Ferrand a les mains poisseuses. Autour de lui les mouches bourdonnent, sur son col couvert de sang les mouches se posent. Le sang a giclé jusque sur sa poitrine, les mouches y vont boire. Ferrand les chasse. Elles volent autour de lui mais reviennent).
(Il faudra s'attacher à ces énormes mouches vertes, lourdes, luisantes, mais éviter de faire entendre leur vol. Elles sont bien plus présentes et réelles par leur corps trapu que par leur bourdonnement. A moins qu'on ne

veuille montrer le sang : alors on peut entendre ces mouches horribles : c'est le sang qui bourdonne).

(*Cellule de Rocky. Il est toujours contre la porte, mais son poing cogne de plus en plus faiblement, sa voix appelle toujours :* « Santé ! Santé ! » *mais c'est presque une plainte. S'il s'appuie maintenant à la porte c'est surtout pour ne pas tomber. Forlano est mort*).

(*Les Nègres et le soleil, face à face. Ce sont les sentinelles du mur de ronde. Elles sont en armes, et veillent le désert, étincelantes. Deux des sentinelles se sont rapprochées et parlent entre elles, à grand éclat, d'une voix gutturale*).
(*L'un des deux nègres ouvre sa main en montrant trois doigts, cependant que l'autre disait un chiffre. Celui-ci a perdu. Après un éclat de rire, avec une moue, il tire de sa poche un petit sabot et le donne à son camarade qui le regarde avec étonnement et l'empoche*).

(*Chez le Directeur. Il est à table, mais seul, dans sa salle à manger. Il parle, comme pour soi seul. Le forçat qui le sert circule autour de la table, apporte les plats, s'en va, revient. De temps à autre il intervient, brisant le monologue du Directeur*).
(*Le Directeur feuillette de la main gauche, des coupures de journaux. On remarque le visage de Santé Forlano, plusieurs fois reproduit*).

LE BAGNE

LE DIRECTEUR – Sa mort et ses crimes, sa jeunesse et sa beauté pourraient faire croire qu'il eut une naissance fabuleuse. Non. Il est né dans une petite rue, pas très loin de chez moi. Il y pleut beaucoup. Sa jeunesse fut banale, comme celle de tous les assassins.

(Le bagnard, qui est en face du Directeur, sans le regarder – il essuie des assiettes après les avoir embuées de son haleine – dit) :

LE BAGNARD – Vous lisez ou vous inventez ?

LE DIRECTEUR – Qu'est-ce que ça peut te faire ? Toi, tu n'es pas un vrai bagnard puisque tu es mon larbin. Forlano ne te concerne pas.

LE BAGNARD – Larbin ici et maintenant, mais fagot au dortoir toute la nuit.

LE DIRECTEUR – Blagueur. Laisse-moi continuer : comme tous les assassins il prenait plaisir à égorger les poulets – ou refusait de les égorger – mais il adorait les chats et les merles. Puis, tout naturellement, il choisit le métier de tueur...

(Le bagnard, depuis un moment s'est arrêté de torcher sa vaisselle. Il écoute et regarde fixement le Directeur).

LE BAGNARD – Vous le savez, vous, comment on choisit le métier de tueur ? Répondez !

LE DIRECTEUR – *(il hésite, puis...)* On le choisit parce qu'on vient de le faire par erreur.

LE BAGNARD – Pas mal dit. Et puis ?

LE DIRECTEUR – S'il existe des hommes dont le seul recours sera de toucher le fond du désespoir, pourquoi ne serais-je pas celui qui s'en approche le plus ?

LE BAGNARD – Pas mal dit. Après ?

LE DIRECTEUR – S'il existe au monde un endroit où la misère s'approche le plus de la misère absolue, un endroit où la réprobation est totale et sans appel, que puis-je faire ailleurs ?

LE BAGNARD – Qu'est-ce que ça veut dire ?

LE DIRECTEUR – Que le seul moyen que j'aie de participer à cette misère, à ce désespoir, à cette réprobation, c'est de les entretenir et d'en enregistrer les ravages et les joies. Et maintenant crache ou dégueule dans ma vaisselle, mais laisse-moi lire : Donc il choisit le métier de tueur et il le fit bien. *(Le Directeur regarde les journaux)* En somme, il fit bien, le mal. Ah, la beauté des titres : « L'assassin souriant ». « Le monstre enfin captif ». « La bête est prise ». « Cynique, le tueur au regard d'ange se vante de crimes imaginaires ». Tiens, voici peut-être la phrase-clé. Tu ne crois pas ?

LE BAGNARD – Qu'est-ce que j'en sais ? Clé ou pas clé, si elle ouvre quelque chose c'est quelque chose que vous avez, vous, mais qu'on a égaré, nous autres, depuis longtemps.

(L'atelier des sabotiers. Il est dans la même disposition qu'au début du récit. Le surveillant compte toujours les paires de sabots entassés dans un coin. Les bagnards

vont se parler d'établi en établi, comme dans la première scène).

(Premier forçat. Il est armé d'une gouge, il fabrique un sabot).

PREMIER FORÇAT – Ça devait arriver. Ce que je comprends pas c'est qu'est-ce qui a pu donner à Ferrand l'idée d'aller au mitard, puisque Rocky était déjà sorti. S'il voulait lui chercher des crosses, il pouvait le faire ici, ou au réfectoire.

(Le deuxième forçat, fume, très discrètement, en dissimulant le mégot dans ses mains renversées en coquille. Quand il rejette la fumée, avec la main il en disperse le nuage).

DEUXIÈME FORÇAT – Il était attiré.

PREMIER FORÇAT – Par quoi ?

DEUXIÈME FORÇAT – Ça ne s'explique pas facilement. En tous cas, sans raison il s'arrange pour aller au mitard et deux jours après il descend, ou s'il ne le fait alors c'est encore plus inquiétant puisqu'il s'accuse – le gâfe qui ne lui avait rien fait.

(Le troisième forçat abandonne un instant son outil, une gouge qu'il pose sur l'établi, et se rapproche – ou plutôt se penche en arrière pour donner son avis).

TROISIÈME FORÇAT – Moi je vais vous dire la vérité : c'est qu'aussi bien Rocky que Ferrand, il y a des années qu'ils ont envie d'être copains.

PREMIER FORÇAT – On n'a pas attendu que tu nous le dises pour le savoir. Mais ça n'explique rien.

JEAN GENET 220

(Le troisième forçat s'avance alors très menaçant dans l'attitude, mais d'une menace contenue dans un calme jour, et sans élever la voix).

TROISIÈME FORÇAT – En tous cas ça ne donne à personne le droit d'être pas correct.

PREMIER FORÇAT – *(très simplement)* Excuse-moi, Pierrot.

(Le surveillant continue de compter ses sabots. Sans se retourner, il parle) :

LE SURVEILLANT – Vous savez, les gars, je ne veux pas vous empêcher de discuter entre vous. *(Il se retourne)* Si ça vous intéresse, ne vous gênez pas. Mais vous perdez votre temps.

(Au séchoir. Il n'est plus tendu de draps humides. Les fils sont nus. Mais les paniers sont pleins de linges secs : draps, bourgerons, chemises, etc. Accroupis par terre, en tailleur, cinq bagnards, dont Roger, examinent les pièces des paniers, et raccommodent celles qui ont des trous ou qui sont déchirées. Toutes les mains s'activent : celles qui fouillent dans la corbeille et celles qui cousent).
(Roger coud une pièce à un pan de chemise et il fredonne).

UN BAGNARD *(qui tire l'aiguille)* – T'as une jolie voix pour courir.

ROGER – *(souriant)* Tu te fous de moi ? J'ai pourtant pris des leçons.

(Les bagnards causent, tête baissée – et nue – sur leur ouvrage).

UN VIEUX FORÇAT – Et des leçons de délicatesse ?

ROGER – Pourquoi vous me dites ça ? Je ne suis pas en deuil. Forlano ne m'était rien.

LE VIEUX FORÇAT – Tu n'es pour rien dans ce qui lui est arrivé. Ton aiguille ça ne te rappelle pas quelque chose ?

ROGER – J'ai dit que je savais qu'il possédait l'aiguille, et puis après ?

(Soudain, il lève la tête, s'arrête de coudre, et dit, d'une voix toujours sourde, de crainte d'être entendu du surveillant) :

ROGER – Oh et puis j'en ai marre. Tout le monde le sait que je suis une donneuse, et Rocky le premier le savait. Ça fait trop longtemps que je fais le boulot pour m'en cacher. Je suis comme les putains de bordel. Alors je vais pas jouer les femmes fidèles. Si ça ne vous plait pas c'est pareil. Je prendrai vos coups de poings dans la gueule et tout sera dit.

UN AUTRE FORÇAT – T'as fini, oui ? T'espère tout de même pas nous scandaliser. On en a vu d'autres. Entendu d'autres. Et on en a fait d'autres. On te laisse faire ça parce que ça convient à ta petite gueule et pas à la nôtre. Tu veux que je te dise : pour nous, faire des saloperies c'était faire l'amour. Mais on a trop de respect pour elles, on n'ose plus les faire avec les gueules qu'on a. On te les laisse. Attends... on ne te les laisse même pas, on t'en charge.

(Le surveillant assez loin d'eux, et ne se préoccupant pas de ce conciliabule essuie avec son mouchoir, son révolver. Les bagnards continuent la conversation sans interrompre leur travail de cousettes. De temps en temps l'un d'eux tend la main vers une chemise que l'autre lui passera. Toutes les chemises sont rapiécées, de carrés de toile neuve et brune).

ROGER – Alors, faut pas vous plaindre, je m'en acquitte plutôt bien.

LE VIEUX FORÇAT – N'empêche que les saloperies doivent se faire avec beaucoup de délicatesse. Autrefois il y avait Rinaldo, pour moucharder. C'était un Rital, encore plus beau que toi. Lui, à ta place, il aurait pris le deuil.

ROGER – Le vrai deuil ? En noir ?

(Le vieux forçat parle sur un ton pénétré. Il sait de quoi il s'agit).

LE VIEUX FORÇAT – Oui, Monsieur, en noir.

UN AUTRE – *(à Roger)* Y a combien, que tu es au bagne ?

ROGER – Trois berges.

CELUI QUI VIENT DE POSER LA QUESTION – *(au vieux)* C'est trop jeune. Ça n'a pas encore toute la légèreté qu'il faut pour être triste au bon moment.

(La voix de ce bagnard était indulgente et bonne. Quelque chose en elle était orientale. Car, qu'on s'en souvienne, tous ont une démarche très noble et très douce).

(Roger lève la tête, et interroge le vieil oriental).

ROGER – Alors, je peux chanter ?

LE VIEUX FORÇAT – Vas-y, va, fredonne.

(Nous sommes encore au mitard. Quelques jours se sont écoulés. Les punis tournent toujours, sous le même soleil, dans les mêmes sabots. Le surveillant continue ses bains de pieds. Comme à la margelle d'un puits, au milieu du village Ferrand est accoudé à la tinette au-dessus de laquelle il rêve, et où quelquefois il crache).

(Les gros doigts de Ferrand jouent avec les petits sabots qu'il avait donnés à Forlano. Puis les doigts lâchent les sabots qui tombent dans la merde. Ferrand reste un instant penché au-dessus de la tinette, puis il se redresse et s'approche d'un des punis très, très vieux).

(Tout ce qui va s'échanger le sera durant la ronde, Ferrand marchant à côté du vieux. Celui-ci n'a plus de dents. Il a donc vieilli à la façon des paysans qui ignorent la prothèse dentaire. Ses lèvres sont rentrées dans sa bouche. Puisqu'au bagne les couteaux sont interdits, à table, quand il y a de la viande, il faut la déchirer à belles dents, en la portant à la bouche avec les mains. Quatre ou cinq forçats très édentés, reçoivent alors un curieux privilège – décerné par le sous-directeur : un jeune bagnard à table est placé à côté d'eux : sa fonction consiste à mâcher la viande de l'ancien. Bien mastiquée et mêlée de salive elle est recrachée dans la main de l'édenté, qui l'avale. Le gamin n'est là que pour mâcher la viande ; quelquefois, s'il est complaisant – ou si le

vieux a sur lui un ascendant – il lui mâche la croûte trop dure du pain).

LE BAGNARD – Ça chauffe, hein ?

FERRAND – Comme d'habitude.

LE BAGNARD – Je parle de ta caboche. Tu gamberges drôlement.

FERRAND – Je peux plus m'arrêter.

LE BAGNARD – T'en as pourtant raccourci, des mecs.

FERRAND – Pas comme celui-là.

LE BAGNARD – Il avait rien fait de sensationnel.

FERRAND – Il avait même rien fait du tout. C'est pour ça. On l'a fait à sa place, mais pour lui.

LE BAGNARD – Alors ne t'étonne pas.

FERRAND – Je ne m'étonne pas, mais ça m'a vidé.

(Si le surveillant, qui continue à se mouiller les pieds laisse causer, ce n'est pas qu'il ait compris l'humaine fierté du rapport des deux hommes, mais parce que l'usage exige qu'on laisse au prévôt une marge privilégiée. Les deux bagnards parlent très doucement. Aucun autre puni ne peut comprendre ce qu'ils se disent).

LE BAGNARD – C'est tout le temps pareil. Depuis que je suis fagot c'est comme ça. Je suis arrivé il y a 45 berges. Ça veut dire que j'en avais 25. Tu te rends compte de ce que j'ai pû voir passer. Dès qu'un convoi arrivait il fallait qu'on trouve le gars qui pourrait nous apporter des nouvelles du pays. Il fallait qu'on trouve le notable du pays. Et notre pays, c'était pas la France, ni l'Autriche, ni Pigalle ni Marseille, notre pays c'était le crime. Puisqu'ici le crime est impossible, la fraîcheur ne pourrait venir que du dehors.

FERRAND – Le crime est impossible ici ?

LE BAGNARD – Comment ? On ne peut pas faire le mal, on est dans le mal. Suppose que tu sois un peu nerveux et que tu me descendes, tu feras quoi ? Rien. Tu supprimeras qui ? Pas un homme. Alors qui ? Celui qui pourrait aussi bien te descendre. Bouziller Marchetti c'était du vent.

FERRAND – Il insultait Forlano.

LE BAGNARD – Et après ? Et les autres ? Et toi ? Quand un homme te condamne il ne te juge pas, il t'insulte. Et en plus, c'est pas pour ça que Marchetti a été tué.

FERRAND – Non, c'est pas pour ça.

LE BAGNARD – Vous avez voulu l'orner, votre Forlano, l'orner d'un crime. Vous avez voulu rendre vivant votre pays, notre patrie. Mais c'est impossible. On est en exil pour de bon puisqu'on est incapable de faire le mal.

FERRAND – Alors ?

LE BAGNARD – Alors laisse tomber, tu me fatigues. Tu tranches en deux tous les mois, un gars qui ne t'a rien fait. Nous, on ne t'en veut pas. N'importe qui ici le ferait aussi bien que toi. Le petit mec était avec les autres...

FERRAND – Il avait une belle gueule.

LE BAGNARD – Le roi de ton pays tu le choisis beau quand tu le choisis seulement pour mettre sur un timbre ou un billet. Vous êtes tous pareils. Rocky...

FERRAND – Ne me parle pas de çui-là.

(LE BAGNARD – Excuse-moi petit.

(Ferrand parle de Rocky avec colère. Il s'écarte alors du bagnard. Il se rapproche de la tinette, pose l'un de ses pieds sur l'ance et hurle) :

FERRAND – Un, deux ! Un, deux ! Marquez la cadence, fagots, ou je vous botte le derche !

(La bassine vide. Puis le surveillant revient. Il est accompagné de Rocky qui marche comme un homme ivre, plaçant sa main devant ses yeux, tant il y a de lumière dans la cour. Rocky très lentement, se dirige, bras croisés, dans la ronde).

LE SURVEILLANT – Avance. Mets-toi dans la ronde.

FERRAND – Serrez-vous. En place !

(Visiblement Rocky a du mal pour se mettre au pas et suivre la cadence assez vive de la ronde. Il trébuche et manque un pas).

FERRAND – Tu sais pas te tenir, non ? Mets-toi au pas comme les autres ou ça va chier.

(Rocky ne répond pas. Il baisse la tête et marche. Il tousse, et crache).

FERRAND – Quand on n'a pas la santé pour le mitard, on va à l'hosto.

(Ni Rocky ni les autres punis ne répondent).
(Les forçats font encore un tour ou deux au soleil, et soudain Rocky s'écroule évanoui. Il tombe dans ce sentier circulaire que la ronde des punis a tracé dans le sable. Aucun bagnard ne bouge. Simplement ils l'évitent pour continuer leur ronde. Ferrand s'approche de Rocky, et sans bonté, il le tire dans un coin d'ombre).

FERRAND – Repose-toi. Quand ça ira mieux tu me le diras.

ROCKY – Ça va mieux. *(Il veut se relever).*

FERRAND – Reste-là, je te dis.

(Le surveillant debout dans l'eau fraîche regarde la scène en plissant ses yeux).

(Dans le corps de garde, les nègres jouent aux cartes. Ils se disputent. L'un d'eux jette ses cartes. Elles représentent des bagnards, et quelques-unes le Directeur, d'autres les nègres).

(C'est le lendemain matin – ou un jour suivant, au lavabo du mitard. Les hommes sont nus jusqu'à la ceinture. On entend tousser. C'est Rocky qui a une quinte de toux. Il s'avance. Son visage est creusé. Il est malade. Il marche avec difficulté. Il tient d'une main sa tinette, de l'autre son chapeau. Du regard il cherche Ferrand. Il faudrait que ce regard ait déjà la douceur et presque la bonté de celui d'un chien. Nous aurons besoin de ce regard pour en parer tout à l'heure Ferrand. Ce n'est plus

une rivalité ni non plus une complicité qui vont les unir,
mais un sentiment nouveau pour eux, l'amitié ? Nous
verrons).
(Ferrand, debout, rigide, mains dans les poches. A
Rocky) :

FERRAND – Va te laver.

(Les punis se mettent en marche).
(Rocky se dirige vers le lavabo. Sa marche est de plus
en plus pénible. Il n'essaie même pas de crâner. Près de
lui il pose sa tinette et son chapeau avec des gestes las).

FERRAND – *(à un jeune bagnard)* Aide-le.

(Le bagnard arrange le chapeau de Rocky, près de la
tinette. Les bagnards auront à l'égard de Rocky une grande
gentillesse. C'est que Rocky est entré dans le clan de ceux
qui se survivent. Son prestige passé l'auréole encore mais
avec douceur. Le dos de Rocky est courbé. Il se lève,
fatigué. La grosse main calleuse de Ferrand se pose sur
son épaule et commence à le savonner).
(Les répliques s'échangent à voix sourde. On n'entend
pas couler l'eau des robinets).

ROCKY – J'suis foutu.

FERRAND – J'ai l'impression.

ROCKY – J'vais claquer.

FERRAND – Fais-le le plus vite possible. Faut pas faire
traîner, dans des cas comme ça.

ROCKY – Qu'est-ce que tu me conseilles ?

FERRAND – Ça, c'est à toi de voir.

(Ferrand s'écarte. C'est alors qu'on entend l'eau couler).

(Autour d'eux, discrets ou indifférents les punis s'essuient mutuellement).

FERRAND – Faites vite, je m'impatiente.

(Ferrand prend la tinette de Rocky, la met dans la main d'un bagnard, d'autorité. Rocky sourit. Il marche le dernier, doucement, selon sa propre cadence, misérable).

(Au séchoir. Il va de soi que le sentiment que portent les bagnards à Roger n'est pas causé par le dégoût de la délation. Il vient d'ailleurs. Peut-être de ce que, Roger étant beau, jeune, grâcieux, non encore désespéré, son activité leur rend sensible ce que serait – ou ce qu'était – la délation dans un univers où le mal est possible. Un bagnard de soixante ans, pourrissant au bagne, ne pactise pas avec les surveillants. Il accomplit une besogne avec un autre. Il ne trahit pas ses amis : il n'a pas d'amis, simplement il gêne les autres bagnards. Le mal en effet peut établir entre les hommes une complicité, il ne peut les lier, rendre sensible leur solidarité. Mais la jeunesse et le charmant visage de Roger font croire qu'il est mal détaché d'un monde où la jeunesse et la beauté sont possibles. Lui, subtilement, il comprend qu'à sa vue les bagnards sont troublés. Car il trouble, comme tout être ambigu – et son ambiguïté c'est d'être ici, dans ce monde brûlé, désert, inhumain, solitaire, mais de participer en quelque chose – sa seule apparente fraîcheur – avec le monde de la joie. Naturellement ce trouble est sans désir.

Néanmoins, il lui donne une sorte de pouvoir, de fasci-
nation sur les autres bagnards).

(Arrêtons-nous sur Roger et deux autres forçats tra-
vaillant avec lui au séchoir).

(Les deux forçats fument. La main de celui qui tient
le mégot est disposée en coquille renversée. Plus que la
prudence c'est une secrète esthétique qui lui commande
de faire ce geste sans lequel il ne serait pas tout à fait
un bagnard).

(Roger s'approche et demande à tirer une goulée. La
refuser serait un affront très grand. Enfantinement, en
gosse choyé, Roger tend sa bouche aux lèvres ouvertes
en cul de poule).

UN BAGNARD – Casse-toi.

(Roger feint de croire qu'on plaisante. Il insiste).

ROGER – Tu vas pas me refuser deux ou trois perlouzes ?

L'AUTRE – Casse-toi, qu'on te dit. Etends le linge.

(Le deuxième bagnard le dit avec violence, mais à voix
presque basse).

ROGER – Qu'est-ce que j'ai fait ? Vous êtes vaches...
Allez donne.

(Roger avance encore la bouche avec une moue de
gosse exagérée, mais le premier bagnard lui donne un
coup de tête dans le ventre. Il tombe dans le panier de
linge mouillé. Les autres bagnards : l'un hausse les
épaules, un autre se détourne, tous sont méprisants.
Roger essaie de se relever. Au fond de l'atelier, le sur-
veillant par le bruit a connaissance d'un désordre. Il
essaie de voir en écartant les draps mouillés).

LE SURVEILLANT – Qu'est-ce que c'est que ces histoires ? Tu t'amuses à te rouler dans le linge propre !

ROGER – C'est pas moi...

LE SURVEILLANT – Je suis un menteur.

ROGER – J'ai pas dit ça.

LE PREMIER BAGNARD – Si tu l'as dit, je t'ai entendu.

LE SURVEILLANT – Vous dites que je suis un menteur ? Ça va. En route.

(Roger, qui s'est remis debout, est ahuri).

ROGER – Mais chef...

LE SURVEILLANT – J'ai dit au mitard, vous vous expliquerez avec le Directeur.

(Roger hausse les épaules et se met en route, en écartant les draps pour passer.
Les deux bagnards, avec indifférence, échangent la fumée).

(Au mitard, avec Ferrand et Rocky. Entre eux s'est formé un étrange sentiment. Je vais tenter d'en expliquer le mécanisme. Une fois de plus je répète que ce récit veut être un poème. C'est-à-dire qu'il s'efforce de rendre sensible, apparente un certain complexe subjectif. Son but n'est pas de rendre compte du monde extérieur, de décrire un bagne réel, existant vraiment dans un lieu géographique précis et peuplé de forçats vivant encore, ayant vécu, ou de personnages copiés, calqués sur des êtres criminels réels. L'imagination de l'auteur crée donc, à

partir de sa seule sensibilité un univers arbitraire. Qu'on ne s'attende pas à découvrir entre les forçats ou entre les gardiens et les forçats, les rapports psychologiques habituels. Un univers arbitraire, dis-je. Mais non incohérent. C'est d'ailleurs cette cohérence, cette logique dans chacun des rapports entre les éléments constituant ce récit qui donnera à l'œuvre sa vie. J'entends donc expliquer le sentiment qui va lier Rocky et Ferrand de cette façon : par la nécessité de donner à l'œuvre la forme que je veux – ou que je désire, et par ce que je suis de « ce que sont – en moi » ces différents éléments).

(Ferrand et Rocky se haïssaient, tout au début du récit. Par haine je veux dire que chacun d'eux savait que l'autre lui faisait obstacle pour être soi-même. D'où leur rivalité. A l'arrivée de Forlano, leur désir a le même objet. Curieusement l'un et l'autre, et d'une façon presque identique vont faire de Forlano ce qu'ils désirent l'un et l'autre qu'il soit : un mort illustre, une image. Les voici donc liés, malgré eux, dans une œuvre accomplie en commun, et contre laquelle ils ne peuvent rien. Elle est en effet plus forte qu'eux, et chercheraient-ils à l'oublier... Mais comment oublier, dans ce bagne tourné constamment vers le passé) ?

(S'ils étaient dans le monde de la liberté, nos deux héros pourraient m'échapper, pour je ne sais quelle réalisation d'eux-mêmes. Il n'y aurait pas de film. Ils sont prisonniers de cet univers clos : ma rêverie et ce bagne. Vont-ils se haïr, jusqu'à leur mort, qui peut être proche s'ils s'entretuent ? Mais alors, autant se suicider, car aucun des deux est plus que l'autre. Alors l'œuvre avorte).

(Ils se haïssent donc. Qui a fait le plus que la mort et la gloire de Forlano ? Ils se haïssent à force de peser le *plus ou le moins de chacun. Mais s'ils se regardent dans les yeux, qui voient-ils : deux rivaux égaux dans leur échec. Ils étaient donc semblables. Qu'un geste soit fait, de reconnaissance)...*

(Cour du mitard. Le soleil tombe d'aplomb. Les punis tournent en rond. C'est Ferrand qui commande).

FERRAND – Un, deux ! Un, deux ! marquez la cadence !

(Rocky est dans la ronde).
(Il marche avec peine. Il traîne ses sabots. En plein soleil il grelotte).
(Ferrand s'approche de lui).

FERRAND – Ça me fait un peu chier de te commander.

(Rocky garde les bras croisés, mais il sourit. Le sourire doit être sans amertume. Très doux. Son regard se pose, sans crainte dans le regard de Ferrand, qui ne baisse pas les yeux).

ROCKY – Ça fait rien, va, c'est pas grave.

VOIX DU SURVEILLANT – C'est bientôt fini, oui, la discussion ?

(Le gardien derrière la grille, se tient toujours les pieds dans l'eau. Son visage est furieux. On doit comprendre, fût-ce par un moyen cinématographique grossier, qu'à cette minute, quelque chose lui échappe. Irrité, méchant même, Ferrand tourne la tête. Il se dirige vers le gardien. Arrivé près de lui, il s'immobilise, se met au garde à vous et retire son chapeau).

FERRAND – Chef, je ne veux plus être prévot.

LE SURVEILLANT – *(sans lever la tête)* C'est toi qui commande, ici ?

FERRAND – Je veux plus commander.

LE SURVEILLANT – Je te demande si c'est toi qui me commande de te faire commander.

FERRAND – Compliquez-pas avec vos salades, je veux plus être prévot.

LE SURVEILLANT – Fagots, c'est Ferrand votre prévot, obéissez !

(La rage est visible sur le visage du surveillant. Il se lève, tout droit dans sa bassine).

(Ferrand remet son chapeau, et lentement reprend sa place près de la tinette. Il s'adresse à Rocky).

FERRAND – Rocky, salaud, tu peux pas lever les pieds ?

(Sourire de Rocky. Ferrand s'approche de lui).

FERRAND – Fous-moi ton poing dans la gueule.

ROCKY – Laisse.

(Ferrand pousse Rocky trop doucement pour lui faire du mal, mais assez fort pour qu'il trébuche et s'accroche à Ferrand qui en profite pour tomber et l'entraîner dans sa chute).

(Ils sont dans la poussière).

FERRAND – Prends le commandement. Je vois bien que t'en peux plus.

ROCKY – Ça va passer.

FERRAND – Tu t'esquintes pour rien.

ROCKY – T'as pitié ?

FERRAND – T'es cinglé ? Mais peut-être que tu m'en veux ?

ROCKY – Et toi, tu m'en veux ?

FERRAND – C'est de la connerie, tout ça. C'est tombé en poudre. Allez, Rocky, prends le dessus. Fais comme si tu me dominais. Ça va, relève-toi.

(Pendant tout ce dialogue, les deux hommes se roulent mutuellement dans la poussière. Ils sont haletants, oppressés. De temps à autre, Rocky tousse. Ferrand donne à Rocky des coups de poings qui ne touchent jamais son visage : ils s'arrêtent à temps. D'un mouvement de reins, Ferrand fait passer Rocky au-dessus de lui. Obéissant malgré lui, Rocky se relève. Ferrand reste dans la poussière, mais Rocky lui tend son chapeau qu'il avait perdu dans cette lutte feintée).

LE SURVEILLANT – La comédie est finie. Alors ça va. Rocky, prends sa place.

ROCKY – Continuez, vous autres. Un deux ! Un deux ! A ta place, Ferrand.

(Ferrand prend sa place dans la ronde. Il se place devant le vieux bagnard de 70 ans qui lui tenait un discours la veille. Il parle presque sans remuer les lèvres).

LE VIEUX BAGNARD – Alors, petit ? T'as gagné ? Je m'en gourais du coup.

FERRAND – Quel coup ?

JEAN GENET   236

LE VIEUX BAGNARD – Si je te le disais le mot, tu te révolterais et tu casserais tout.

FERRAND – Alors boucle ta gueule et marche au pas.

(Le vieux bagnard se met au pas, en sautillant d'une façon un peu ridicule).

(Les Nègres. J'ai dit plus haut que les Nègres pourraient bien être ici, sinon le symbole, l'équivalent de la féminité absente, le complément nécessaire à une trop rigoureuse sécheresse, l'ombre si l'on veut de trop de lumière. Pourquoi l'ai-je dit ? Ce scénario, vieux de plusieurs années, m'ennuie trop pour que je me fatigue à en expliciter les données. Je tenterai toutefois une explication. Je veux dire d'abord qu'ils apportent l'inquiétude de l'autre race, comme il y a l'inquiétude de l'autre sexe. Ajoutons-y la couleur noire. Pour l'homme qui se veut action et mobilité, la femme est nocturne « profonde comme la Nuit »... Elle enveloppe l'homme, elle le contient. Mes noirs enveloppent le bagne et le contiennent. Il va de soi que je ne livre ici qu'une interprétation satisfaisant mes secrètes rêveries).

(Le dortoir du bagne. Nous recommençons le même long travelling que nous fîmes la veille de la mort de Forlano. Mais nous le commençons de gauche à droite, le précédent s'étant accompli droite-gauche. Sans que cela veuille symboliser qui que ce soit, nous enregistrons aussi par les fenêtres donnant sur le ciel les constellations. Aucune rumeur de fond : le silence total, rompu seulement par les conversations et les bruits que je signalerai).

LE BAGNE

(PREMIER FORÇAT – Il arrange sa perruque, posée sur sa tête. Il est nu, debout devant le mur comme devant un miroir, et il fait tous les gestes qu'il ferait s'il voyait réellement son image. Il a des mines et des gestes agacés).

LE FORÇAT – Elle ne doit pas être rose la vie au mitard, si les deux caïds se font la guerre.

(DEUXIÈME FORÇAT – C'est le nègre. Il est sagement assis sur le bord de son lit, ses mains posées à plat sur ses genoux. Comme les autres, il est complètement nu. Il est très ému d'être parmi les blancs qui eux-mêmes sont contenus par les nègres de la garde).

UNE VOIX – Un des deux va y passer. C'est pas ton avis, lys des champs ?

LE FORÇAT – Plus vous occuperez vos esprits à ces misérables incidents, et plus le temps, donc le bagne, seront réels.

(TROISIÈME FORÇAT – On entend, en arrivant à sa cellule, comme un air d'accordéon. Le forçat danse la même valse que précédemment, carressant toujours son épaule et son bras. Puis il s'interrompt, et comme pour lui-même, il murmure. Comme si l'invisible musicien avait entendu, un autre thème de valse reprend).

LE FORÇAT – Recommence la valse.

(QUATRIÈME FORÇAT – Il est debout contre la porte, et il fume, et chasse avec la main la fumée qu'il rejette).

LE FORÇAT – Cette fois je parle pour Rocky. C'est le Deibler qui va saigner.

JEAN GENET   238

(CINQUIÈME FORÇAT – Il se tâtonne. Il est accroupi sur son lit, très attentif à son travail. Tout son corps est déjà recouvert de tatouages. En ce moment il plante une aiguille dans la plante de ses pieds, à petits coups. Comme à lui-même).

LE FORÇAT – Ils ont pas raison de s'en vouloir. C'est Forlano qu'a gagné. Ils devraient plutôt essayer de se consoler.

(SIXIÈME FORÇAT – C'est celui qui imite l'harmonica avec ses doigts. Il fait aller de droite à gauche sa main devant sa bouche).

LE FORÇAT – Ça va, comme ça ?

UNE VOIX – Continue.

(La voix entendue de lui seul, il reprend un autre thème).

(SEPTIÈME FORÇAT – Il est debout, nu aussi, collé à la grille. Il la tient à pleines mains comme s'il voulait la démolir).

(Le travelling est ici interrompu par une brève séquence chez les Nègres. Ils boivent et dansent mollement).

(HUITIÈME FORÇAT – C'est celui qui, au début, curait ses narines et en mangeait le contenu. Il le fait encore cependant qu'il dit) :

LE FORÇAT – Ces deux-là, ils sont encore jeunes. S'ils se regardent bien dans les yeux, ils vont se noyer l'un dans l'autre. Vaut mieux rester seul, on est sec plus longtemps.

(NEUVIÈME FORÇAT – Couché sur son lit, il s'enlace, baise ses mains, ses bras, ses yeux et jusqu'à ses pieds).

(Encore les Nègres. Ils sont maintenant tout habillés, casqués, armés, pêle-mêle sur un immense bat-flancs. Ils sont ivres. L'un d'eux joue de l'harmonica, d'autres chantent un cantique à la Sainte Vierge. L'un d'eux respire un lys).

(Cour du mitard. Les punis tournent toujours. Dans la ronde, Ferrand. Plus loin, devant lui, Roger. Le surveillant lave ses pieds. Rocky commande).
(Cette chute, cet abandon de la rivalité – décrit plus haut – entre les deux caïds, doivent selon la logique des sentiments joués ici, amener avec la paix, une sorte d'indulgence et de bonté. Voici donc comment Ferrand et Rocky vont accueillir Roger. Son visage est marqué par les coups. Son chapeau est débarrassé de ses ornements. Ses sabots sont cassés. Il boite. Le premier mouvement de Rocky est de colère et de haine car il sait que Roger seul pourrait révéler au Directeur que c'est Forlano qui possédait l'aiguille).
(Roger, honteux, humilié d'être si laid, s'approche de Rocky).

ROCKY – *(sec)* Prends ta place dans la ronde. Et tâche de lever les pattes.

ROGER – Je peux pas aller me laver ?

ROCKY – Non.

(Sans un mot, tête haute pourtant, Roger croise ses bras et prend place dans la ronde).

(Les punis font quelques tours cependant que Rocky commande de sa voix rauque, tousse et crache. Enfin, il s'approche de Roger. Il est menaçant).

ROCKY – Je devrais te mettre en miette. Et l'amocher encore plus, ta sale petite gueule de lope.

(Roger ne répond pas. Il marche, regardant droit devant lui, le visage fermé).

ROCKY – Mais maintenant t'es entre mes mains. Je peux te faire mourir à petits feux, si j'en ai envie. Ça divertira peut-être le gâfe... Tu réponds rien ?

(Rocky tousse et crache. Roger sourit).

Tu réponds rien ? T'as raison, c'est prudent. Ça te fait marrer que je molarde mes éponges ? Tu penses que j'en ai pour pas longtemps, hein, saloperie ? Réponds ! Mais réponds.

(Rocky lui donne un coup de pieds dans les tibias. Pas à peine un tressaillement du visage. Roger accuse le coup).

ROGER – Je t'ai rien dit, Rocky.

(Rocky lui parle tout en marchant près de lui, en tournant avec lui. Roger continue d'avancer comme s'il n'entendait rien. Sa bouche est close, serrée. Le sang sèche aux coins de ses lèvres autour desquelles les mouches voltigent qu'il ne chasse pas).

ROCKY – T'es toujours aussi dégonflé, hein, petite lavette. Il paraît qu'il y en a d'autres qui t'ont aussi à la bonne, d'après l'état de ta jolie petite frimousse. Et ça va continuer. Il s'en trouvera pour te faire sauter tes belles dents de loup, un autre pour t'arracher les mirettes, un autre pour te défoncer, un autre pour te cracher dans la gueule, pour t'ouvrir le ventre et te couper les couilles. Tu m'entends, bordel ? Tu m'écoutes ? Ta jolie petite gueule de rat elle va pleurer. Parce que t'es vache, t'es terrible Roger. On va te crever la panse. Alors, t'auras gagné, hein, saleté ?

(Mais déjà la voix de Rocky a changé. Elle s'est voilée d'une légère émotion qui augmente sans cesse, jusqu'aux larmes).

T'auras bonne mine quand tu ne seras qu'une plaie qui supure, qu'il faudra qu'on te supprime un jour, que Ferrand te coupe le cou. Oh, et puis tiens, je ne sais plus ce que je dis, j'en ai les larmes aux yeux !

(Les larmes coulent sur la joue de Rocky. Il s'éloigne de Roger, s'approche de la tinette et s'effondre en pleurant. Roger ne bronche pas. Le gardien se lave les pieds et regarde. Rocky sanglote. Ferrand s'approche de lui. Avec sa blouse il lui essuie les yeux et l'aide à se relever. Ce qu'ils se disent le sera à voix très sourde).

FERRAND – Laisse tomber.

ROCKY – Je suis un beau con, hein ?

FERRAND – Maintenant oui. Tous les deux on est arrivé au bout du rouleau. Faut qu'on en finisse en vitesse.

JEAN GENET   242

VOIX DU SURVEILLANT – Reprends ta place dans la ronde, Rocky, si t'es incapable. C'est Roger qui va commander.

(Visage impassible de Roger. Ferrand hésite, puis reprend sa place. Rocky commande. Puis il se rapproche de Roger. Il fait deux pas avec lui en silence, puis il lui dit) :

ROCKY – Un, deux ! Un, deux ! Marquez le pas.

ROCKY – Saute, Roger, on a été potes, tous deux, ne l'oublie pas.

ROGER – Je t'écoute.

ROCKY – Si je te fais sortir du mitard, tu feras ce que je te demande ?

ROGER – Dis toujours.

(Cour du mitard. Mort de Ferrand. Le soleil est aussi dur, aussi impitoyable que le premier jour. Les punis tournent. Rocky est appuyé dans la même attitude que Ferrand autrefois à la tinette, comme à la margelle d'un puits. Il regarde Ferrand. Ferrand est de plus en plus las. Rocky s'approche. Le dialogue s'échange pendant la marche. Comme je l'ai souvent indiqué on n'entend que les paroles, non le bruit des sabots. Le dialogue se poursuit à voix très sourde. De temps en temps, Rocky tousse et crache).

ROCKY – Ça devrait être l'heure.

FERRAND – Il ne faut pas t'impatienter.

ROCKY – Il a eu le temps d'aller à la cordonnerie et de revenir. Pourvu qu'il ne se fasse pas gauler.

FERRAND – Penses-tu, il est malin, le mouflet.

(Rocky montre des signes de nervosité. Il s'écarte soudain de Ferrand et hurle) :

ROCKY – Un, deux ! Un, deux ! Au pas, fagots ! Au pas, les cloches.

(Puis il se rapproche de Ferrand. Le dialogue reprend) :

FERRAND – Dis, Rocky, je voudrais pas te vexer, mais t'as l'air un petit peu nerveux.

ROCKY – Moi ? T'es dingue. C'est toi qu'es nerveux. Tu vas pas me louper, au moins ?

FERRAND – T'inquiète pas.

ROCKY – Et après ?

FERRAND – N'aie pas peur ; je saurai...

(Ils sont interrompus par un sifflet. C'est celui de Roger qui siffle une valse lente. Ferrand répond par deux mesures très hautes).

ROCKY – C'est lui. Faudra faire vite.

(Rocky et Ferrand regardent, malgré leurs larges chapeaux vers le ciel. Tout à coup près de la tinette, presqu'au milieu de la cour, tombe un tranchet de cordonnier. Lentement, insensiblement, Rocky s'en approche et le ramasse).

VOIX DU SURVEILLANT – Apporte.

JEAN GENET   244

(Le surveillant debout dans sa bassine pieds nus veut se précipiter dans la cour. Mais Ferrand est sorti de la ronde et s'approche de Rocky).
(Rapide, Rocky passe le tranchet à Ferrand. Indifférents les punis tournent toujours. Visage bouleversé de Ferrand. Visiblement il hésite à tuer Rocky).

ROCKY – Fais vite.

FERRAND – C'est dur, Rocky.

(Le surveillant a ouvert enfin la grille et il court pieds nus et mouillés, dans la cour).

LE SURVEILLANT – Empêchez-les, non de Dieu !

(Aucun puni ne bouge. Ferrand enfin se décide, il donne un coup de tranchet à Rocky, le sang coule mais la blessure est sans gravité).
(Le gardien arrive, frappe d'un coup de poing Rocky, qui tombe. Les forçats se sont précipités très mollement vers Ferrand. Mais il fait un écart, s'éloigne d'eux avec le tranchet et avant que d'être atteint par le surveillant, il le plante dans sa poitrine. Il tombe dans la poussière. Le surveillant arrive trop tard. Il arrache le tranchet. Ferrand a un soubresaut. Debout, le tranchet ensanglanté à la main, bouleversé un instant, le surveillant se ressaisit) :

LE SURVEILLANT – Reprenez la ronde !

(Nous sommes à l'atelier de ferronnerie. Les forçats et le surveillant sont autour de la cuve, où l'un d'eux trempe un objet que nous ne voyons pas d'abord. Puis il retire

l'objet : c'est une paire de petits sabots en fer, artistement travaillés).

(Tout le monde (trois autres forçats et le surveillant) se penche).

LE SURVEILLANT – Pas mal.

LE FORÇAT – Vous trouvez ?

(On sonne le glas).

UN FORÇAT – Vous entendez ?

UN AUTRE – Quoi ?

CELUI QUI A PARLÉ – Le glas.

(Tout le monde écoute. Les spectateurs entendent le glas, mais non les bagnards).

UN FORÇAT – Mirage.

CELUI QUI A PARLÉ – Je vous dis que si. C'est maintenant qu'on l'enterre.

UN FORÇAT – D'accord, c'est maintenant qu'on l'enterre mais y a pas de glas. Dites, chef, vous étiez là, vous, y a une trentaine d'années ?

LE SURVEILLANT – Eh... A peu près.

LE FORÇAT – C'est vrai ce qu'on raconte, quand un fagot mourait on laissait son cadavre dans le désert, au soleil, jusqu'à ce que les bêtes aient nettoyé sa carcasse ?

LE SURVEILLANT – Moi je l'ai pas vu faire, mais on me l'a dit.

LE FORÇAT – Et les squelettes, qu'est-ce qu'on en faisait ?

LE SURVEILLANT – Rien. On les rangeait dans un bâtiment qu'on a abattu depuis.

LE FORÇAT – Et pourquoi on ne le fait plus ?

UN AUTRE – C'était quand même plus beau. Faudrait qu'on rétablisse ça.

UN FORÇAT – C'est fini, ce temps là. Tout fout le camp.

(Ils se passent tour à tour les petits sabots, de mains en mains, ils les examinent et les soupèsent).

UN FORÇAT – Je me demande si ça va lui plaire qu'on lui en fasse cadeau.

UN AUTRE FORÇAT – Je me charge pas de lui donner.

UN AUTRE – Alors qui ?

UN AUTRE – Pas Moi !

LE SURVEILLANT – Pas moi non plus.

(Ils se regardent, un peu décontenancés).

UN AUTRE FORÇAT – Bon, alors ? Ça sert à quoi ?

UN AUTRE – Je me demande même s'il va sortir du mitard ?

UN AUTRE – Pourquoi pas ? Il n'est pour rien dans le suicide de Ferrand.

UN FORÇAT – On lui fait donner les sabots par Roger ?

UN AUTRE – T'es cinglé ? Par cette ordure ?

UN AUTRE – Alors ? On les fout au feu ?

(Les bagnards se regardent. Et, sans même attendre de réponse, celui qui a les sabots les lance dans le brasier).

(Cour du mitard. Rocky est accroupi dans un coin d'ombre. Les autres punis tournent toujours. Il tousse et crache. Puis il se lève lentement, comme s'il obéissait à un ordre).

VOIX DU SURVEILLANT – Enlève tes sabots, si tu es mal.

(Le surveillant est toujours debout dans sa bassine d'eau fraîche).
(Rocky s'approche de lui. Il marche très difficilement. Il tousse toujours. Il a une quinte qui le coupe en deux. Enfin il est près du surveillant qui a ouvert la grille et le fait entrer dans le couloir du mitard).

ROCKY – Je suis foutu. J'en ai plus pour longtemps.

LE SURVEILLANT – Je m'en aperçois. Tu vas entrer à l'infirmerie.

ROCKY – Si on veut. Je m'en fous.
(Rocky sort du mitard, traverse la cour et se dirige vers l'infirmerie. Il marche, courbé et toussant. Tout à coup, en plein soleil il enlève son chapeau. Il reste debout, tête nue. Le soleil est féroce. Comme une masse Rocky tombe).

JEAN GENET 248

(Deux nègres du fond de la cour, immobiles, le regardent. Il semble qu'ils attendent qu'il soit mort. Enfin ils se décident, s'approchent de lui, et l'un d'eux, le prenant par le col de sa blouse, sans égards, le tire à l'ombre, où il le laisse).

FIN

TABLE

LE BAGNE
THÉÂTRE ET SCÉNARIO
DE JEAN GENET
ACHEVÉ D'IMPRIMER
EN SEPTEMBRE 1994
SUR LES PRESSES
DE L'IMPRIMERIE CHIRAT
À SAINT-JUST-LA-PENDUE (LOIRE)
POUR L'ARBALÈTE
DE MARC BARBEZAT
À DÉCINES (RHÔNE)

550 EXEMPLAIRES
DONT
50 MARQUÉS HC
500 NUMÉROTÉS DE 1 A 500
SUR ARCHES FILIGRANÉ L'ARBALÈTE
CONSTITUANT L'ÉDITION ORIGINALE

ISBN 2-902375-4-24
DÉPÔT LÉGAL N° 8843